À Anne,
j'espère que
Miss Orient
pourra envel...
tes poi...
pôle et
d'autres

Fille de soie

Dans la même collection :

Chère coupable, Missaès,
roman érotique (format régulier 2002 ; format poche 2006)

Libertine, Jean de Trezville, roman érotique
(format régulier 2004 ; format poche 2006)

L'agenda de Bianca, Élise Bourque,
roman érotique, 2005

Histoires à faire rougir (t. 1), Marie Gray
(format régulier 1994 ; format poche 2000)

Nouvelles histoires à faire rougir (t. 2), Marie Gray
(format régulier 1996 ; format poche 2001)

Histoires à faire rougir davantage (t. 3), Marie Gray
(format régulier 1998 ; format poche 2002)

Rougir de plus belle (t. 4), Marie Gray
(format régulier 2001 ; format poche 2004)

Rougir un peu, beaucoup, passionnément (t. 5), Marie Gray
(format régulier 2003 ; format poche 2006)

Coups de cœur à faire rougir, Marie Gray, 2006

Stories to Make You Blush, Marie Gray, 2000

More Stories to Make You Blush, Marie Gray, 2001

Stories to Make You Blush volume 3, Marie Gray, 2004

ÉLISE BOURQUE

Fille de soie

roman érotique

Guy Saint-Jean
ÉDITEUR

Catalogage avant publication de Bibliothèque et Archives Canada

Bourque, Élise, 1957-
Fille de soie
ISBN 978-2-89455-238-4
I. Titre.
PS8553.O862F54 2007   C843'.54   2006-942257-5
PS9553.O862F54 2007

Nous reconnaissons l'aide financière du gouvernement du Canada par l'entremise du
Programme d'Aide au Développement de l'Industrie de l'Édition (PADIÉ) ainsi que celle
de la SODEC pour nos activités d'édition. Nous remercions le Conseil des Arts du Canada
de l'aide accordée à notre programme de publication.

Gouvernement du Québec — Programme de crédit d'impôt pour l'édition de livres —
Gestion SODEC
© Guy Saint-Jean Éditeur Inc. 2007
Conception graphique : Christiane Séguin
Révision : Hélène Bard
Dépôt légal — Bibliothèque et Archives nationales du Québec, Bibliothèque et Archives
Canada, 2007
ISBN : 978-2-89455-238-4

DISTRIBUTION ET DIFFUSION
Amérique : Prologue
France : Volumen
Belgique : La Caravelle S.A.
Suisse : Transat S.A.

GUY SAINT-JEAN ÉDITEUR INC.
3154, boul. Industriel, Laval (Québec) Canada. H7L 4P7. (450) 663-1777.
Courriel : saint-jean.editeur@qc.aira.com • Web : www.saint-jeanediteur.com

GUY SAINT-JEAN ÉDITEUR FRANCE
48, rue des Ponts, 78290 Croissy-sur-Seine, France. (1) 39.76.99.43.
Courriel : gsj.editeur@free.fr

Imprimé et relié au Canada

À celui qui partage mes jours et mes nuits.

Je tiens à remercier Isabelle et Annie
pour leur collaboration
et Jean-François
pour sa grande disponibilité et sa confiance.

Présent : jeudi

Suzie-Kim, alias Miss Orient, s'assit devant le clavier de son ordinateur. Fidèle à une habitude contractée depuis quelques années, elle aimait entretenir son blogue, lien épistolaire qui savait aguicher ses fidèles correspondants, dans lequel elle mettait la même ardeur à les émoustiller que lorsqu'elle foulait la scène du Lingot d'or, ce club sélect où elle régnait en tête d'affiche. Les cris enthousiastes de la clientèle constituaient son ultime récompense de nombreuses années de dérive. Ce contact virtuel lui permettait en outre de répondre aux questions de ses admirateurs et de récolter d'intéressantes suggestions à mettre en pratique entre deux effeuillages.

Extrait du blogue de Miss Orient :

[...] Ça m'a pris un certain temps pour mettre au point ce personnage que vous aimez tant ! Le maître de cérémonie m'annonce toujours ainsi : «Accueillez très fort votre sexy geisha : Miss Orient !» Didjé B. se croit encore spirituel de faire suivre cette présentation par les premières notes de la pièce de David Bowie, China Girl. De toute façon, vous, les clients, m'appelez «La Chinoise.» C'est plus facile.

[...] Je vous donne du rêve, je vous donne la geisha cochonne que vous imaginez, même si les geishas sont japonaises. Vous vous en fichez : pour vous, une Asiatique, ça se plie à vos moindres désirs, avec un masque d'humilité figé sur le visage. Et je vous parais moins menaçante que Kimberley ! Elle est convaincue qu'en perfectionnant son personnage de dominatrice, elle gagnera plus d'argent. J'ai remarqué qu'elle faisait peur à quelques-uns d'entre vous ! Ça se sent, ça se voit dans votre attitude. Vous reculez sur votre chaise, les bras croisés.

Mais il y a vous, oui VOUS, fasciné, conquis... Vous voudriez bien qu'elle vous entraîne dans son sillage sulfureux, n'est-ce pas ?

Kimberley ressemble à une Darth Vador féminine, une diablesse toute en angles, épaules carrées, seins pointus, bien droite sous son armure factice de plastique noir. Sa chevelure saturée de fixatif s'élance dans toutes les directions, comme si elle faisait face à une turbine d'avion. Cette strip-teaseuse bouge en effectuant des mouvements brusques, elle fait claquer sa cape noire, elle frappe sur ses bottes à talons hauts avec sa cravache de cuir. Ce son ! Si tranchant ! Vous en frissonnez, vous imaginez les coups sur vos flancs, la brûlure de la badine exacerbant vos sens, votre chair à vif, la perversion s'insinuant par vos pores meurtris, la chaleur de la douleur liquéfiant vos dernières résistances... Lorsqu'elle consent à détacher son plastron rigide pour vous offrir son corps nu, vous restez béats d'admiration devant sa poitrine plantureuse ! Ses mamelons gros et rouges comme des pastilles de danseuse burlesque vous font saliver. Comme vous aimeriez être condamnés à sucer ses tétines tendres et douces pour l'éternité ! Même si, pour y avoir droit, vous deviez consentir à vous avilir, à ramper devant elle, à lécher ses talons d'une hauteur vertigineuse !

Lorsqu'elle laisse tomber sa cape d'un air hautain en vous fixant de ses yeux d'acier, elle sent d'instinct votre résignation. Par bonheur, si vous êtes assis en bordure de la scène, elle vous tournera le dos, s'accroupira devant vous, prendra appui sur ses mains en dépliant lentement ses jambes magnifiques et votre pupille se dilatera devant ses fesses dévoilées pour vous, globes ivoire définis par l'opaque du string de latex et qui appellent au pétrissage... Ne vous reste plus qu'à imaginer les tortures que vous subiriez seul avec elle, dans l'isoloir !

* * *

Le demi-sourire de Suzie-Kim s'effaça lorsque retentit la sonnerie de son cellulaire. Elle s'éloigna à regret de son ordinateur.

— Bureau du docteur Brunet, bonjour?

— Suzie-Kim?

— Elle-même...

— Sylvie, de la résidence... Dites-moi, avez-vous parlé à votre mère dernièrement?

— Euh... Oui... Oui, je l'ai eue au téléphone hier soir, comme d'habitude, pourquoi?

La préposée responsable de sa mère avait la pénible tâche de l'informer d'une énième tentative de suicide et surtout, de l'obligation pour Suzie-Kim d'envisager un nouveau déménagement. Un centre spécialisé pourrait l'accueillir... d'ici deux semaines!

La jeune femme posa lentement le cellulaire argenté et noir, l'air découragé. Comment concilier cette obligation avec ses activités? Encore plus grave: son Voyageur, comme elle le surnommait, devait passer la voir dans la même période! Il était le seul «client» qui connaissait son adresse et qu'elle acceptait de recevoir à quelques jours d'avis. Le seul avec qui elle s'abandonnait... presque entièrement, se sentant avec lui comme si elle était sur le rebord d'un précipice.

Il était le seul homme qui ait comparé la blancheur de sa gorge à celle des icebergs du sud de l'Islande, lorsqu'ils sont effleurés par le soleil et qu'ils ressemblent à des diamants! Celui qui lui vantait, en caressant ses seins, les collines de Lucca, en Toscane, à la floraison en mai des orchidées roses... comme ses aréoles, précisait-il en les baisant religieusement. Celui qui s'émouvait de pouvoir cueillir, du bout de la langue, les petites gouttes qui perlaient de sa vulve, comme une figue gorgée de soleil sur le point de s'ouvrir et dont le jus parfumé fait frémir les narines...

Elle appréciait cet Aventurier qui savait la traiter comme une princesse exotique, une compagne occasionnelle et précieuse, son seul véritable port d'attache entre deux voyages. Il posait ses valises, se repaissait d'elle longuement et la quittait parfois pour plusieurs mois. Il savait qu'entre-temps, elle serait désirée par d'autres, mais lui-même se faisait un devoir de goûter des épidermes de toutes les teintes, de humer les odeurs secrètes enfouies entre les cuisses des femmes de tous les pays, de se perdre pour quelques heures dans des regards impénétrables, où nulle barrière de langue ne bloque le fil de la pensée et du désir.

Suzie-Kim n'osa s'avouer qu'elle ressentait une profonde déception à l'idée de reporter ce rendez-vous galant et se dépêcha d'aller mettre de la musique pour étouffer ce sentiment désagréable. Ce ne serait pas le bon moment pour retourner à son blogue. Elle perdrait complètement ses lecteurs qui préféraient, de loin, son existence exaltante de danseuse nue! Si elle s'était mise au clavier à cet instant, elle aurait écrit en majuscules! Elle aurait inscrit tous les signes de ponctuation en corps de 20 points et en rouge colère, tiens! Elle aurait fait ressortir tous les mauvais côtés associés à son travail. Elle aurait interpellé cet imbécile qui l'avait croisée la veille avec sa femme au supermarché et qui insistait devant elle pour se rappeler où il l'avait rencontrée! Aurait-il vraiment voulu qu'elle dévoile qu'il lui avait filé 400 $ la dernière fois qu'il était allé au club?

Non, ce n'était pas une bonne idée d'aller à l'ordinateur maintenant.

Suzie-Kim fouilla sans conviction dans sa collection de disques compacts et en trouva un qu'elle n'avait pas écouté depuis longtemps. La voix lénifiante de Claire Pelletier répandit dans la pièce les premières notes de la chanson *Le chevalier perdu*[1].

Hum... Rien, finalement, dans ce texte de belle esseulée qui souhaite le retour de son chevalier parti à la guerre au nom de son roi, pour lui «redonner la pêche», comme disent les Français! Qui écrirait une chanson pour les femmes de militaires partis guerroyer pour le pétrole et le pouvoir, de nos jours?

La belle Asiatique secoua la tête en reconnaissant les symptômes de sa mélancolie. Le cellulaire, ce faux emploi de réceptionniste chez un homéopathe inventé de toutes pièces: tout cela pour entretenir une certaine crédibilité auprès des intervenants du Centre psychiatrique où résidait la femme qui lui avait offert une vie bien meilleure que celle qui lui était destinée à l'orphelinat de Yingtan... quel gâchis!

N'ayant nulle envie de recourir à quelque psychologue ou autre *logue* que ce soit pour lui fouiner dans la tête, la jeune femme chassa rapidement ses pensées moroses. Tout d'abord, il était urgent de prévenir son Aventurier! Avec un peu de chance, peut-être accepterait-il de bouleverser son horaire?

Suzie-Kim revint vers son ordinateur et tapa sans hésitation l'adresse courriel de son Voyageur. Ils n'entretenaient pas de correspondance assidue, conservaient officiellement une attitude client amante professionnelle, mais la constance de leurs rencontres tenait presque du couple. À quand la prochaine? De quelle partie du monde lui parlerait-il en couvrant son dos de baisers, en laissant filer ses doigts dans ses longs cheveux; et quelle nouvelle pratique sexuelle ramènerait-il dans son bagage intérieur?...

La jeune femme se laissa choir ensuite dans son fauteuil de

---

1 Claire Pelletier, *Murmures d'histoire*.

lecture préféré, une espèce de gros canapé en chenille rose usée qui détonnait avec la décoration de la pièce. C'était un meuble trapu, aux gros bras arrondis et accueillants, dans lequel elle pouvait adopter la position du lotus ou se placer perpendiculairement au sens de l'assise, le dos appuyé sur un des bras. Elle s'enroula dans une invraisemblable couverture effilochée en laine marine, une relique de son enfance, puis laissa pendre ses jambes sur l'autre bras du meuble et se blottit contre le haut dossier. Tout autour, à portée de main, se trouvaient des piles et des piles de magazines de mode, de cosmétiques, de parfums et de trucs de santé.

Après un long moment à lutter contre la tentation de se remettre à fumer, une envie qui se pointait toujours dans les moments de tension, la belle se dégagea de la couverture et tendit un bras vers la table basse, engloutie sous les *Elle*, *Marie Claire*, *W*, *In Style*, *Harper's Bazaar*...

Tiens, le dernier *Vogue*.

Las! Ni les extravagants chapeaux parés de plumes d'Alexander McQueen ni les robes fleurs de Hussein Chalayan ne réussirent à l'intéresser. Par contre, une publicité pour le tout dernier parfum de Guerlain alluma une brève étincelle dans ses yeux... Cette superbe demi-sphère rosée, au rebord gravé du nom du parfum, échouerait inévitablement un jour dans sa vitrine de bois de rose! Suzie-Kim était une *odoflascophile*, une collectionneuse de flacons de parfum, comme sa mère. Toutes deux partageaient une passion pour le monde des odeurs, mais contrairement à cette dernière, l'Asiatique fuyait comme la peste les effluves trop capiteux ou les parfums chyprés, puissants et intenses. C'était d'ailleurs pour retrouver intactes ses facultés olfactives qu'elle s'était résignée à abandonner la cigarette. Et par association, *Le parfum* de Patrick Süskind était son livre préféré.

Suzie-Kim continua de tourner machinalement les pages de l'épaisse publication.

La sonnerie de son téléphone blanc, son téléphone officiel, la fit sursauter. Seuls quelques amis possédaient ce numéro privé et la voix enthousiaste de Rosalie ramena un peu de vie dans ses veines. La jolie danseuse avait reçu une proposition complètement folle et elle désirait que son amie y participe avec elle. La jeune femme lui expliqua de quoi il était question en gloussant comme si elle mijotait un tour et éclata subitement de rire lorsqu'elle annonça le mirobolant cachet promis pour ce contrat.

— Tu te rends compte, Suzie-Kim? Tout ce fric pour si peu de travail? Qu'en dis-tu? Alleeeeeeeez! Dis ouiiiiiiiiii!

Pas de réponse.

— Tu es là?... Ça va pas?

Suzie-Kim avoua qu'elle se sentait simplement contrariée, et s'informa davantage au sujet de cette offre alléchante. Tout ce que Rosalie pouvait lui révéler, c'était qu'elle avait été appelée directement au Lingot d'or par le propriétaire du magazine *Québec sexy*, pour qui elle avait déjà fait des photos coquines avec une jolie mannequin noire. Il lui avait demandé s'il lui arrivait de faire des heures supplémentaires.

— Pouah! Je n'avais surtout pas envie de lui dire qu'il m'arrivait de faire des extra! Il est tellement moche qu'il aurait fallu qu'il me prenne par-derrière, et encore!

La jeune femme éclata de rire.

— En laissant planer le mystère, je lui ai dit que j'avais l'esprit ouvert, mais que ça dépendait toujours de la proposition. Alors, il m'a dévoilé le cachet et m'a demandé si j'avais une amie disons... dans les mêmes dispositions, pour une activité hors de l'ordinaire, mais assez exigeante physiquement. Tu me connais, il venait d'allumer ma petite ampoule de curiosité! Je me retenais de baver sur le récepteur, tu imagines le paquet de sous que ça représente pour moi? C'est ma semaine de travail! D'après toi, qu'est-ce que ça pourrait être? Une partouze? Un *show* de filles?... En plus, on doit se présenter là pas maquillées, pas parfumées! On n'apporte qu'un peu de maquillage. Intrigant, non?... En tout cas, je lui ai dit que je pensais connaître quelqu'un: toi! J'espère que tu pourras te libérer! Ce serait pour jeudi prochain, à compter de 19 h!

La danseuse roucoula encore et sa joie contagieuse eut un effet presque magique sur l'humeur morose de l'Asiatique. Celle-ci considéra qu'elle pouvait prendre congé en prévenant son patron. Ce contrat lui permettrait sans doute d'avoir des vacances! Et, il lui arrivait si rarement de déclarer forfait que son employeur ne pouvait s'en plaindre. Un peu de changement ne pouvait qu'être bénéfique après tout!

Elle donna donc son accord et se délecta des cris enthousiastes de sa copine. Dans la foulée, elle s'informa pour savoir si elle pouvait manger un morceau avec elle en fin de journée et le rendez-vous fut pris pour 18 h au Café Sylphide, où elles pourraient bavarder de tout, et surtout de rien, devant une savoureuse salade de crevettes et d'avocat, avant d'aller travailler.

En raccrochant, Suzie-Kim envoya valser le disque mélancolique pour le remplacer par le dernier succès de Gnarls Barkley, sur lequel elle se dandina en souriant enfin.

*   *   *

Présent: dimanche
Extrait du blogue:

[...] Lorsque je m'avance sur la scène, vêtue de mon superbe kimono doré, il flotte au-dessus de vos têtes un murmure impressionné. Si vous me voyez pour la première fois, vous êtes un peu déstabilisés,

après toutes ces filles interchangeables, comme autant de poupées Barbie! [...]

[...] Je marche vers vous, mon kimono s'entrouvre et vous percevez mon mollet à travers la fine barrière que constitue mon ro, cette combinaison d'été en gaze de soie légère, portée par les plus grandes geishas. Ainsi voilée, ma cheville vous émeut et du coup, vous retrouvez l'envie de l'attente, du désir. Vous me regardez danser, admiratifs devant l'aisance avec laquelle virevoltent mes éventails, éblouis par mes effets de manches...

Je ceinture mon obi comme une prostituée, noué sur le devant pour qu'il se détache plus facilement. Je me maquille si peu : pourvu que j'aie la peau pâle, les yeux soulignés de khôl et la bouche en cœur, cela vous convient. Je porte ma perruque, celle qui m'a coûté la peau des fesses et qui est coiffée comme le Wareshinobu, ce chignon fendu comme une pêche. Un tissu rouge est visible dans la fente, et cela a, paraît-il, un puissant pouvoir aphrodisiaque. J'arrive pieds nus. Tant pis pour le réalisme! J'ai déjà essayé de marcher avec des okobo, ces espèces de plates-formes très hautes, et j'ai failli me casser le cou! [...]

J'avoue que je me suis beaucoup amusée à construire mon personnage, avec l'aide de madame Tanaka, qui dirige une boutique spécialisée dans le centre-ville (sans vouloir lui faire de publicité gratuite!).

Maintenant, jetons un œil sur vos commentaires. Ils sont nombreux aujourd'hui et vous avez des questions intéressantes!

En réponse à Stacey2, qui se demande si j'aime les touristes : Je les adore! Et spécialement les Américains, qui sont très généreux, si tu veux tout savoir! Ils arrivent en groupe, souvent après un repas déjà très arrosé (pour se donner du courage?) et ils viennent voir ici ce que leurs danseuses ne peuvent pas leur offrir : la femme toute nue! Ils sont pas mal plus expressifs que vous, mes chéris! Ils crient, ils frappent sur la table et lancent des billets sur la scène! Quelle ambiance!

Tenez : un soir, Jessica a pris un risque avec un beau grand brun, athlétique : tout à fait son genre d'homme ! Du fond de la salle, il a brandi un billet dans sa direction, mais les billets américains étant tous de la même couleur... Ah ! Comme elle s'est donnée à fond pour que l'homme soit content, pour qu'il se rengorge devant ses amis ! Elle a fait tout ce qui était légal, elle lui a frôlé le visage avec ses cheveux, puis avec ses seins... Elle frottait ses fesses sur ses cuisses... Eh bien ! L'Américain lui a glissé dans la main un billet de 100 $!

En réponse à Tonsuperfan : *Hum ! Pourquoi veux-tu savoir s'il y a des femmes qui nous font danser ? Ça t'exciterait, petit coquin ? Mais bien sûr que nous avons parfois des clientEs ! Parfois, ce sont des femmes qui veulent faire une surprise à leur «chum», mais il arrive qu'elles viennent pour leur propre plaisir ! Et c'est pas spécialement des lesbiennes, certaines m'ont dit qu'elles trouvaient les femmes nues plus belles que les hommes, tout simplement !*

Dans l'isoloir, leur toucher est très différent. Vous autres, les incorrigibles, on a beau avoir une affiche qui vous interdit de toucher autre chose que la poitrine ou les fesses, au moins quatre sur cinq d'entre vous essaient de contourner le règlement.

Les femmes ? Elles sont si douces, on dirait qu'elles ont peur de nous casser ! Mais elles sont aussi plus audacieuses ! Est-ce qu'il y en a parmi vous qui ont déjà vu une fille se coucher sur la scène avec un billet roulé dans la bouche, pendant que la danseuse faisait son numéro ? Ça m'est arrivé dernièrement.

Imaginez-moi vers la fin de ma prestation ; je suis toute nue et une fille se précipite et s'étend sur la scène. J'entends ses amies rigoler, comme si elles me lançaient un défi. Je m'accroupis à sa tête, au ralenti (évidemment, la fille fait ça pendant le slow). Je me mets à genoux au-dessus d'elle (quelle vue imprenable sur ma petite chatte !) et je me laisse couler en frôlant mes seins sur elle, comme un beau 69. La fille n'a qu'à relever la tête et à glisser son billet dans ma fente, juste assez humide pour le retenir! Lorsque je me suis relevée, ses amies avaient la mâchoire sur la table et la fille était rouge de plaisir.

En réponse à Goaler : *Le récit que tu fais de ton expérience avec cette danseuse profiteuse me donne la chair de poule! Surtout parce que tu me sembles passablement agressif et amer. Ne nous mets pas toutes dans le même panier, mon beau! Oublie cette mésaventure! Tu sais, c'est toi qui mènes le bal! C'est à toi de l'arrêter tout de suite après la première danse, si tu ne veux pas payer plus! Comme ça, elle ne pourra pas enchaîner une chanson après l'autre pour mieux te plumer, comme tu dis!*

*   *   *

Présent : lundi

Légèrement frippée de sa fin de semaine, Suzie-Kim se traîna avec un bol de café au lait vers son ordinateur. Elle fut encore une fois sidérée par le nombre effarant de visiteurs sur son site et se demanda si ses admirateurs avaient d'autres points d'intérêts dans leurs vies. Le commentaire de ChinaLover, un assidu de la première heure, déclencha son envie d'écrire.

Extrait du blogue :

[...] Lorsque je suis seule avec vous, dans l'isoloir exigu, c'est inévitable, j'ai droit à toute une panoplie de propositions originales, telles que goûter votre rouleau de printemps, manger votre egg-roll ou m'embrocher sur votre baguette! J'adore vous objecter, avec un petit regard désolé, qu'accepter pourrait me coûter mon emploi, car alors, un autre billet vient vite s'insérer dans ma jarretière. Comme vous savez être persuasifs!

Je suis très populaire en cabine, parce que vous avez l'impression de posséder une geisha juste pour vous. De me voir de plus près, sans l'intimidant kimono. Mon allure «fille d'à côté» vous permet d'avoir confiance et il s'installe alors une plus grande proximité que vous appréciez. Parfois, vous vous montrez audacieux, et d'autres fois, il ne se passe absolument rien dans cette alcôve! Je suis là pour vous écouter aussi et vous me faites plaisir en me confiant vos petits secrets...

En réponse à ChinaLover qui me lance un défi de taille: Un lap-dance écrit! Sans AUCUNE règle? Vraiment? J'accepte de le relever! Installe-toi bien devant ton écran et laisse ton imagination suivre le cours de mes mots. Et tiens: je t'en lance un également. Tout d'abord, choisis parmi tes disques celui sur lequel tu veux me voir danser. J'ai envie d'une musique langoureuse, mais avec des basses solides, pulsantes, qui viennent battre au creux du ventre... Ensuite, je veux que tu enlèves tes vêtements... oui, même le slip et les bas, je te veux complètement nu devant ton moniteur et je veux que tu te caresses pendant ta lecture. Mais attention! Interdiction formelle de toucher la région génitale! Passe tes mains dans tes cheveux, sur ton torse, sens bien la chaleur de ta peau, éprouve la finesse de ton duvet sur tes bras, tes cuisses...

Démarre la musique...

Mmmm... bon choix! Je penche la tête d'un côté, puis de l'autre, je me courbe, mes hanches commencent à rouler... je fais des huit avec mon bassin... je lève mes bras bien hauts en projetant mes seins vers toi... pendant de longues secondes, j'ondule, toute en sensualité, je suis voluptueuse, envoûtante... Je te tourne le dos pour retirer mon chandail... non! Pas tout de suite, le soutien-gorge d'abord! Je me retourne vers toi, je me penche un peu, pour que mes cheveux effleurent ta joue et que ma poitrine attire tes mains comme des aimants. Tu passes le doigt entre mes jumeaux, tu effleures le renflement bordé de dentelle; tu sens ma peau comme elle est veloutée? Ah! mon vilain! Tu as écarté le tissu, voilà mon mamelon droit pointé effrontément vers toi... Tu approches ton visage et ce sont tes lèvres qui l'engloutissent! Oh! Tu m'excites un peu plus, là! Comme je vou-

drais être avec toi... tu n'oublies pas de te caresser, n'est-ce pas?

Je vais m'éloigner un peu de la tentation en tournant gracieusement, de façon à ce que tes mains, entraînées par le mouvement, glissent naturellement vers l'attache de mon soutien-gorge... Oui! Libère ma poitrine, elle est toute à toi!

Mmm... la musique continue toujours, je danse pour toi, je te sens impatient... tu bandes? Attention! Défense de te toucher! Pense plutôt que pendant que tu me pétris les seins amoureusement, je descends la fermeture éclair de mon jean... ah ah! Tu crois que je suis nue en dessous? Et... si je me tourne comme ça?... oh! ta caresse furtive sur ma chute de reins me fait frissonner!... J'abaisse mon pantalon; surprise! Admire ma fidèle jarretelle rose et noire et... ah! que voilà un joli string bijou!... Un petit cœur métallique à la naissance des fesses, un fil fouineur qui se fraye un chemin dans ma chair et torture mon clitoris au gré de mes ondulations... Qu'est-ce que tu croyais, bel homme? J'ai bien le droit de me titiller moi aussi!... Voilà... je t'offre mes fesses pour que tu puisses les malaxer comme un bon chef pâtissier!

Hum... Si ça se trouve, je serai trop excitée pour continuer d'écrire! J'ai déjà le string tout détrempé!

Oui, je sais que tu voudrais bien me fouiller avec tes doigts ou ta langue, tu sais que je suis déjà toute prête à t'accueillir... Je te sens vibrer!

Alors voilà, je te fais une fleur: vas-y, fais-toi plaisir! J'aime imaginer tes doigts serrés sur ton membre dans un geste de possession amoureuse! Ne t'en fais pas, je continue à danser en me caressant... Ta paume monte et descend sur ton pénis avec la régularité d'un métronome. Je meurs d'envie de m'empaler sur ce superbe engin!

Ton rythme s'accentue, tes mouvements deviennent plus brusques, voilà que ton autre main cherche à attraper ma peau! Tu me donnes chaud! Je pose un pied sur ta cuisse, je me penche vers l'arrière et j'écarte du doigt le fin tissu de mon string. À la vue de ma fente mouillée, je te sens trépigner ; entends-tu les choses cochonnes que je murmure à ton oreille ?... Ouf ! Je ne tiendrai plus longtemps !

Je m'enhardis à sucer mon majeur et je le glisse dans mon vagin qui palpite ! Qu'en dis-tu ?... Ah ! Tes doigts frémissent sur ton sexe, ils deviennent mon antre qui t'enserre voluptueusement ! Tes yeux sont fous, tes reins se soulèvent du siège... Oui ! Oui ! J'aime te voir jouir à fond ! [...]

* * *

Présent : jeudi
11 h 30

Ce soir, fin du suspense concernant ce fameux contrat mystère auquel Suzie-Kim n'a pas eu beaucoup de temps à consacrer. La danseuse était tout heureuse d'avoir obtenu deux jours de congé ! Dans ce métier, il n'y a pas d'avantages sociaux et les privilèges se négocient à la pièce. Tom aurait bien aimé que Miss Orient soit plus « accommodante » avec lui, mais elle avait toujours eu en sa présence une attitude professionnelle qui l'intimidait un peu. Heureusement, pensait-il en appuyant la paume de sa main à la hauteur de sa braguette, il avait sous la main une dizaine d'autres filles superbes qui avaient rapidement compris de quelle façon obtenir de petites faveurs !

La jeune Asiatique était bien décidée à s'offrir une journée *poupounage* et détente. Elle commença par prendre une douche rapide et sortit, sans maquillage, vêtue d'un blouson de cuir par-dessus son t-shirt rose et d'un jean moulant sa petite taille. En route pour un petit-déjeuner tardif ! Le temps était magnifique, ça devait être ce qu'on appelait l'été des Indiens. Sans réfléchir, Suzie-Kim se dirigea vers son restaurant préféré, le Mercure, situé dans le village gai.

Ce quartier de la ville regroupait, en quelques rues, une impressionnante proportion de représentants de la communauté gaie. Plus masculine que féminine, par ailleurs. Les lesbiennes se sentiraient-elles plus à l'aise ailleurs dans la ville ?

La jeune Chinoise était confortable dans ce mélange de kitsch et d'esthétisme. Et les boutiques regorgeaient de curiosités ! Elle fréquentait depuis des années ce restaurant qui se targuait d'offrir une cuisine *solaire* (!) et elle y était toujours accueillie comme une reine par les serveurs, qui lui apportaient automatiquement un kir à son arrivée. Cette fois, ce serait plutôt un litre de café !

En chemin, absorbée dans ses pensées, elle se heurta presque à une frêle silhouette qui admirait une robe dans une vitrine. Elle marmonna de vagues excuses en reluquant rapidement le joli vêtement, une robe marine constellée de minuscules pois blancs et cintrée de chaque côté par un lacis de rubans blancs. Son attention se porta ensuite sur la personne qu'elle avait failli renverser. « Francis ! » s'exclama-t-elle.

Un moment passa, chargé d'émotion. Une étreinte sincère, des baisers échangés ; Suzie-Kim retrouvait par hasard un ami qu'elle croyait perdu à jamais ! Ce jeune et pourtant reconnu *drag queen* avait proclamé, du jour au lendemain, qu'il allait tenter sa chance aux États-Unis, attiré comme tant d'autres par les sirènes des cabarets américains. Mais personne n'était dupe. Son Romain avait été invité par une chaîne de télévision de Los Angeles pour scénariser un prochain succès à la *Six Feet Under*. Ce contrat lucratif prévoyait qu'il devrait vivre dans la ville des Anges au moins huit mois par année. Pour un grand amoureux comme Francis, il était clair qu'il avait déjà choisi de le suivre, quitte à mettre en veilleuse sa propre carrière !

Les choses n'avaient pas tourné comme il le souhaitait : ses lettres enthousiastes et ses cartes postales originales s'étaient espacées, ses confidences s'étaient amenuisées et finalement, son ami en racontait plus long sur la température que sur sa vie exaltante. Suzie-Kim s'était empressée de lui faire parvenir son adresse courriel, en vain. Et un jour, plus rien, à part une petite carte à Noël: «Garde mon amitié bien au frais à côté du vin blanc!»

Voilà qu'aujourd'hui, elle lui tombait littéralement dessus, en pleine rue! Il avoua, avec un petit air penaud, qu'il avait perdu sa dernière adresse et qu'il allait justement au Mercure pour savoir si Suzie-Kim fréquentait toujours ce restaurant où il avait fait ses débuts en tant que serveur. C'était l'époque où la jeune femme, qui connaissait à peine la ville, en savait encore moins sur la culture gaie et ses icônes. Ce qui lui avait permis d'aborder ce nouveau monde avec joie et curiosité.

Francis était l'une des rares personnes de son entourage à lui apporter une belle folie et la légèreté indispensable à la survie dans cette jungle dans laquelle elle évoluait. Au moment du départ de Francis vers les États-Unis, Suzie-Kim jonglait avec l'idée de quitter le salon de massage où elle travaillait, pour gagner sa vie comme danseuse nue. Ses conseils judicieux lui auraient été fort utiles! Spécialement lorsque Rosalie, toujours frondeuse, l'avait entraînée au Super club XXX!

Suzie-Kim et Rosalie avaient décidé d'essayer ça «pour le fun», en cachette de la patronne, la propriétaire du salon de massage. Le gérant du Super club XXX avait jeté un œil distrait sur leurs cartes d'identité, les avait fait déshabiller et tourner sur elles-mêmes. Il ne leur avait même pas demandé si elles avaient de l'expérience. Une nouvelle venue, c'est toujours apprécié par la clientèle, qui ne demande que de la chair fraîche. Sa maladresse serait jugée touchante et si elle était douée, elle apprendrait vite les trucs du métier.

Le petit homme chauve était resté vague sur les demandes spéciales des clients.

— Je ne vous dirai pas comment mener vos vies, les filles, mais si vous faites des heures supplémentaires, c'est en dehors du club. Moi, tout ce que je vous demande, c'est d'être fraîches comme des roses au début de votre *shift*. Les filles cernées à faire peur, je ne les garde pas ici. Les junkies non plus! J'en ai eu qui buvaient toute la soirée et qui se cherchaient des pilules pour tenir le coup ensuite dans les *after hours*. Elles sont rendues dans les p'tits clubs de régions, celles-là! Les heures de travail sont de 15 h à 21 h et de 21 h à 3 h. Pas de chicane, c'est moi qui décide des horaires. Ici, il y a des serveuses pour s'occuper des tables, alors vous irez vous faire voir au bar en attendant votre tour.

En dernier lieu, le gérant avait exigé qu'elles se présentent le lendemain avec une robe longue et fendue très haut sur la cuisse et des talons hauts. Suzie-Kim avait trouvé l'uniforme de travail un peu dispendieux et comme elle n'était pas certaine de choisir cette voie, elle avait loué le tout dans une boutique spécialisée.

Elle avait travaillé trois soirs au Super club XXX. La première fois, elle et Rosalie, qui s'était rebaptisée Lady Rose, levèrent le coude plus qu'à l'habitude et c'est dans un joyeux brouillard qu'elles se dévêtirent et se déhanchèrent sur la scène. Lady Rose, forte de six années de ballet, avait impressionné la clientèle par sa souplesse et Miss Orient, que la robe longue galvanisait, sut se composer un personnage d'aristocrate perverse. Elle avait adopté des dessous coquins, et surtout, décrété que la jarretelle deviendrait sa marque de commerce. Elle provoqua un silence complet lorsque, nue, elle se coucha sur le dos en emprisonnant entre ses cuisses un long collier de grosses perles ivoire, qu'elle retira avec une lenteur exaspérante, en laissant échapper des gémissements sans équivoque. Les sphères luisantes de cyprine hypnotisèrent les clients et immédiatement après sa prestation, les isoloirs furent pris d'assaut.

Miss Orient fut également impressionnée par l'accueil que lui firent les autres danseuses, chacune y allant de son petit conseil pratique. Claudia, une superbe Noire, lui demanda si elle avait déjà dansé sous les *black lights*, avant de lui apprendre à se méfier d'un petit bout de papier hygiénique ou de la cordelette d'un tampon ! Miss Orient ouvrait de grands yeux, pénétrant dans un nouveau monde codifié, où les gestes, les regards et les attitudes valaient leur pesant d'or.

Cependant, Miss Orient s'aperçut bien vite que, malgré les tentures de velours rouge, les tapis moelleux, les prix astronomiques des consommations et les habits chics arborés par la clientèle, celle-ci avait moins de respect pour les filles que dans son salon de massage ! Les hommes déboursaient une somme importante à la porte du club, puis quelques dizaines de dollars pour réserver un salon V.I.P. et payaient encore pour avoir deux ou trois danseuses, qu'ils ne pouvaient toucher, mais qui pouvaient — et devaient — se câliner entre elles. Du moins, c'est le terme qu'avait utilisé le gérant.

La première fois que la Chinoise fut appelée à se produire dans un de ces salons, elle fut désarçonnée d'avoir à feindre de plaquer sa bouche contre le sexe de Claudia qui se tenait, tête en bas contre le poteau, les jambes largement ouvertes. Les clients occultaient leur plaisir ou leur inconfort sous des quolibets destinés à faire rire leurs amis.

Encore intimidée, la danseuse novice plongea le nez dans les lèvres moites de sa partenaire en bougeant la tête habilement de façon à ce que ses longs cheveux noirs camouflent et suggèrent l'action à la fois. Après avoir simulé une jouissance indescriptible qui fit relâcher quelques cravates, Claudia se dégagea habilement et laissa Miss Orient apprivoiser le poteau et ses possibilités, et elle alla frôler de ses seins fiers les visages congestionnés.

À sa première convocation à l'isoloir, la masseuse s'aperçut qu'un rideau couvrait la totalité de la cabine, ce qui incita le client à réclamer une relation complète, malgré les règlements. Il avait même son condom à la main! Le gérant avait rétorqué par la suite:

— Il t'a bien payée? Moi, je n'ai rien vu. Un client satisfait reviendra!

Et il avait ajouté, d'un ton faussement léger:

— Ce qui se passe ici reste ici, n'est-ce pas?

Miss Orient avait aussi obtenu des confidences du *doorman* qui acceptait, à l'occasion, de fumer une cigarette avec elle. Sans ambages, il l'avait mise en garde.

— Prends des cours de karaté ou d'autodéfense. Et pas juste pour te protéger des clients trop pressants, mais surtout pour te défendre contre les autres danseuses!

Il avait avoué qu'il redoutait davantage les batailles de filles que les altercations avec les clients! Une mince cicatrice barrait son menton, souvenir d'une griffe de l'une de ces furies.

— Une fois, j'ai vu une fille en passer une autre par-dessus le bar parce qu'elle lui avait volé un client! Ça faisait déjà un bon bout de temps qu'elle jasait avec lui et elle l'a laissé pour aller aux toilettes. En revenant, elle l'a vu entrer dans l'isoloir avec l'autre! Ça joue dur, tu sais! Une fille qui se fait entre 500 $ et 1000 $ dans une soirée sera de bonne humeur et tout... Le lendemain, si c'est tranquille et qu'elle ne fait que 100 $, elle ne se souviendra même pas de ton nom, elle sera impatiente et cherchera le trouble.

Rosalie s'amusait tellement qu'elle avait, dès le premier soir, annoncé à la Patronne du salon de massage qu'elle changeait de vocation. Elle n'était restée qu'un certain temps au Super club XXX, avant d'entrer au Lingot d'or, moins chic, mais plus convivial.

De son côté, Miss Orient était retournée procurer bien-être et détente à ses habitués du salon de massage. Cette incursion sur scène avait toutefois éveillé sa fibre créatrice et entre deux clients, il lui arrivait de mettre de la musique et d'improviser des pas de danse dans sa cabine de massage. L'écheveau de sa vie continuait à se dévider sans but précis. Et si elle mettait au point un numéro de danse vraiment original ? Suzie-Kim devait reconnaître que ce qui lui avait vraiment plu dans cette expérience, c'était la possibilité de jouer un personnage, de lui donner une démarche, une façon de séduire...

Toutes les fois qu'elle rencontrait Rosalie, cette dernière lui vantait son nouveau club et lui racontait tous les potins, à tel point que Suzie-Kim avait l'impression de connaître personnellement toutes ses collègues !

Hier, lorsque son amie l'avait appelée pour lui donner l'adresse du fameux rendez-vous mystère, elle n'avait pu s'empêcher d'ajouter un chapitre à ses aventures de club et avait tenu Suzie-Kim au téléphone pendant plus d'une heure.

— Notre pire romantique, c'est Valérie ; tu sais, la brune qui danse sous le nom de Cynthia ? Celle qui tombe amoureuse tous les mois ? Je ne sais pas comment elle fait, cette fille, pour travailler le jour comme réceptionniste et le soir au club ! Heureusement qu'elle a sa mère pour garder ses jumeaux ! Eh bien, hier soir, poursuit-elle, elle vient s'asseoir à côté de moi au bar en lissant les plis de sa jupe de collégienne. Georgie, la nouvelle barmaid, dépose un plat de bretzels devant nous, Valérie prend un bâtonnet et du bout de l'ongle, arrache un à un les grains de sel, en me décrivant son nouveau coup de foudre. Un employé d'une firme informatique, Jean-Charles quelque chose, un croisement entre un dieu grec et José Théodore, à l'entendre ! Georgie se penche vers nous et dit, en nous faisant un clin d'œil :

«Moi, je préfère les coursiers à vélo! Quand je travaillais chez Brown & Dickens, au centre-ville, je ne me gênais pas pour leur reluquer le paquet dans leur beau p'tit short de cycliste!»

Tom, le gérant, arrive sur ces entrefaites et chuchote à mon oreille: «Monsieur Deux Cents vient d'arriver.»

Sourcillant, Suzie-Kim lui avait demandé qui était ce monsieur Deux Cents.

La danseuse expliqua que c'était un client qui aimait les femmes soumises. Il s'attendait donc à ce que la danseuse qui le suivrait dans l'isoloir ait les yeux baissés et les bras le long du corps. Il se tenait toujours droit comme un *I*, les mains sur les hanches, les jambes arquées; il avait l'air d'un colonel d'opérette avec sa moustache cirée, grise et jaunie par la nicotine et ses cheveux gris soigneusement laqués. Cérémonieusement, il écartait le pan de velours et d'un bref coup de menton, ordonnait à la danseuse d'y entrer.

Ensuite, d'un air suffisant, il s'assoyait sur le coussin, tirait de son portefeuille dix billets de 20 $, qu'il roulait avec ostentation et les déposait un à un dans sa poche de chemise, ce qui formait une sorte d'éventail. Dès que la musique débutait, il en tendait un à la fille en lui spécifiant de danser sans se déshabiller!

Rosalie avoua qu'elle détestait son attitude et qu'elle s'organisait toujours pour expédier cette première danse. Mais ce soir-là, elle avait une idée derrière la tête. Pas question de perdre son temps cette fois!

Ce qui l'aidait dans son plan, c'est qu'étant un client connu de la maison, le gardien de sécurité passait un peu moins souvent devant l'alcôve. Le rideau dissimulait le corps des danseuses jusqu'à la base du cou. Lorsqu'une tête disparaissait un peu trop longtemps, le gardien risquait un œil par-dessus le rideau, histoire de vérifier si tout était conforme aux règlements en vigueur. Assez souvent, le client était simplement en manque de câlins et la danseuse se penchait en lui grattant la nuque et en lui flattant les cheveux. Parfois, même, elle s'assoyait sur ses genoux pour le prendre dans ses bras et le bercer!

Rosalie précisa d'un ton entendu: «Y a pas un homme qui avouerait ça à ses *chums*, par exemple!»

Pour arriver à ses fins, faisant fi des règlements, Rosalie raconta qu'elle s'était arrangée pour que le petit homme détache de lui-même les boutons de sa chemisette bordeaux, dès la première chanson. Appréciant l'entorse aux règles et constatant que celle qu'il avait choisie étrennait un nouveau soutien-gorge fin, noir et rouge, dont les entrelacs camouflaient astucieusement ses aréoles, le Colonel était devenu écarlate. Rosalie s'était penchée au-dessus de lui en soutenant ses seins magnifiques et il avait immédiatement glissé deux billets verts à l'intérieur de chacun des bonnets, de façon à ce que le tissu se tende encore plus au niveau du mamelon!

Habituellement, monsieur Deux Cents attendait toujours que la deuxième chanson débute pour claquer des doigts, comme pour signifier à la jeune femme que lui seul avait le pouvoir de la faire danser, au moment précis qu'il avait choisi.

Bien décidée à le plumer rapidement, Rosalie ondulait en lui tournant le dos. Elle avait détaché son soutien-gorge, abaissé une bretelle, puis l'autre et l'avait suspendu au crochet sur le côté. Elle avait abaissé ensuite la tirette de sa jupe et fait mine de vouloir s'en tenir là en dansant les bras levés. «Plus bas, descends encore!» avait grogné le Colonel entre ses dents. La soie frémissait à peine en épousant la chair presque nue de Rosalie. La petite culotte brésilienne noire et rouge rehaussait à ravir la peau blanche de la danseuse. «Penche-toi un peu», l'exhorta le client. Cambrant les reins et baissant la tête, Rosalie vit glisser entre ses jambes un quatrième rouleau moite et sentit une caresse fugitive et tremblante à la naissance de ses fesses. Suspendue au haut du rideau, la jambe droite légèrement avancée et repliée, elle offrait un spectacle à faire saliver une armée complète.

L'homme claqua des doigts, elle se retourna vers lui, la poitrine arrogante. Rosalie remarqua que la sueur perlait sur son front.

La braguette du Colonel menaçait d'exploser et maladroitement, malgré l'interdiction, le petit homme tenta d'extraire de son pantalon un petit pénis recourbé. Fidèle à son rituel, il articulait invariablement, à ce moment précis: «Tu pourrais avoir tout le reste des billets si tu t'asseyais sur moi! Deux cents piastres!» ce qui lui avait valu ce surnom dont toutes les danseuses se gaussaient.

En règle générale, c'était à ce moment que les filles, dégoûtées, se détournaient de lui et fuyaient l'isoloir. Mais Rosalie avait envie de relever le défi, pour voir si le Colonel tiendrait parole. Elle avait risqué un œil au-dehors: tout était calme. Vivement, elle fouilla dans une des pochettes de sa chemise et tendit un condom à l'homme interloqué en lui murmurant: «Faites vite!». Elle continua à danser les yeux clos pendant quelques secondes, puis jeta un bref regard à l'extérieur de l'isoloir. Puisant dans sa réserve de fantasmes, la jeune femme prit appui sur l'arête des murs; elle mit un pied, puis l'autre, de chaque côté des cuisses de l'homme et s'accroupit en écartant les jambes, frôlant le visage de l'homme avec ses seins doux. À l'instant même où sa vulve gainée de nylon avait buté sur le gland imperméabilisé, le Colonel avait lâché un râle.

Suzie-Kim avait éclaté de rire en s'imaginant la scène. Rosalie enchaîna.

— J'ai sursauté! Ça n'avait pas pris quinze secondes! Je me suis retournée juste à temps pour faire un clin d'œil rassurant au gardien qui revenait de faire une ronde. Je me suis rhabillée en vitesse, je me suis penchée vers monsieur Deux Cents, encore abasourdi de cet orgasme fulgurant, et j'ai recueilli, à même sa poche, les dollars restants! Avant de sortir du réduit je l'ai bien averti: «Une fois n'est pas coutume!»

Je ne pourrais pas raconter ça à n'importe qui parce que je n'ai pas envie de me faire mettre à la porte. Et je suis sûre que monsieur Deux Cents n'osera pas le dire non plus, sinon, il serait barré du club.

J'avoue que ça m'avait émoustillée et comme le hasard fait bien les choses, au moment où je rejoignais Valérie, qui voulait en rajouter à propos de son Jean-Charles, eh bien le sosie de Russell Crowe a posé sa main sur mon épaule en disant: «Viens avec moi dans l'isoloir, ma belle. J'ai une de ces envies de plonger dans ta belle craque de seins!» Hum! Je peux te dire que j'avais affaire à un plongeur professionnel!

*   *   *

Présent: jeudi
13 h

Suzie-Kim et Francis avaient marché bras dessus bras dessous vers le restaurant réputé du village et avaient eu l'impression de revenir quelques années en arrière, avec une joie non dissimulée. Jean-Louis, le propriétaire, était tout aussi content de revoir son ancien employé. Le flamboyant jeune homme leur apprit qu'il comptait bien reprendre son personnage de Sandra, la jolie *drag* qui lui avait ouvert les portes du *show-business*. Pour le bénéfice des serveurs qui ne le connaissaient pas, Francis répétait avec grandiloquence: «Sandra. SandrA, et non pas Sandrâ, comme le prononcent les personnages de Michel Tremblay. SandrA! Avec de la classe, s'il vous plaît!»

Il semblait lui-même redécouvrir son ancienne identité en faisant rouler les lettres de ce nom contre les parois de sa bouche, en étirant à peine le *S* pour accentuer le *N*. Sssannnndra. Il le prononçait comme si c'était le nom d'un nouveau-né, avec ravissement, délectation.

— Et là-bas, avais-tu gardé ce nom? demanda Suzie-Kim.

— Non... J'avais choisi Bibiane, ça sonnait exotique... et ensuite, c'est devenu Bibi et puis... Bibiane a fait quelques grands clubs, Bibi a traîné dans les bars et... la compétition est ignoble là-bas! Bref, Bibi est morte et enterrée à Los Angeles! *Rékouiès cantine patché*[2]! comme disaient les curés! s'exclamat-il avec un accent pure *Main* des années 1950.

Pour dissiper le lourd nuage d'inquiétude qui se formait dans les yeux de son amie, le jeune homme s'écria: «Sandra a faim! Très faim!» en adoptant une voix haut perchée et une mimique irrésistible qui fit accourir le tout nouveau serveur marocain, visiblement charmé. Francis jeta un œil discret sur la carte et enchaîna, presque en chuchotant:

— Oh! Je ne t'ai pas dit? Là-bas, j'ai enfin réalisé mon fantasme de toujours! Tu sais, celui de débaucher un danseur *straight*? Eh bien ouiiiiiiiiiiiii!

Sa voix venait d'effectuer un spectaculaire crescendo.

— Peu de temps après mon arrivée à L.A., j'avais engagé une petite troupe de danseurs et je préparais un numéro pour le Queen Mary Nightclub, c'est un peu en banlieue, mais c'est un bon club. Je voulais monter un vrai flamenco andalou, et comme la chance était avec moi, X-Tazy, une copine, m'a fourni les coordonnées d'un chorégraphe qu'elle connaissait. «*But you must know: he's straight. And married.*», qu'elle me dit. Hon! Qu'est-ce que j'ai fait, tu penses? J'ai accueilli la troupe en

---

2 *Requiescat in pace*: qu'il repose en paix.

garçon, j'avais même fait exprès pour ne pas me raser pendant quelques jours! On a travaillé plusieurs semaines comme ça. Je savais qu'Ernesto (beau nom pour un chorégraphe, non?) était curieux de voir de quoi j'aurais l'air en fille, mais on n'en parlait pas trop. Il était très professionnel, mes autres danseurs «capotaient» dessus, mais fie-toi sur moi, je me suis vite arrangé pour qu'ils me voient plutôt dans leur soupe (comprendre ici: dans leur lit!), et qu'ils le laissent tranquille! Ah! les danseurs!... C'est mon talon d'Achille!

Francis rigolait comme s'il avait mijoté une bonne blague. Il se remit à chuchoter.

— Un beau jour, sous prétexte d'avoir quelques pas à revoir, je l'ai convoqué. Il ne s'attendait pas à ce qu'on soit seuls dans le grand studio... ni à me voir en femme! Il est entré et m'a regardé: « *You are... you are very gorgeous, did you know that?* »

Francis se tortilla de contentement.

— J'avais mis le paquet, ma chère! Ma plus belle brassière sous une robe presque transparente, la jupe légère brodée de roses noires, (on devinait mon string en dessous!). C'était vraiment à la fois sensuel, provocant et de bon goût!

Le jeune homme se pencha vers son amie.

— Là, j'ai gardé un air mystérieux et j'ai tout de suite mis la musique. Au début, Ernesto essayait de compter les temps, de me donner des indications, mais fie-toi sur moi, je l'avais pratiqué, mon flamenco, et ça n'a pas pris de temps qu'on dansait pour de vrai, ensemble! On formait un couple magnifique! Euh... si l'on excepte que la fille était en robe de bal et le gars en t-shirt pas de manches et en leggings! Ha! Ha! Ha! Bref, la musique nous emportait, je sentais dans l'attitude de mon bel hidalgo que son plaisir de danser était en train de prendre le dessus sur la technique. Moi, je frissonnais en sentant sa main m'emprisonner la taille, je sentais au millimètre près la pression de chacun de ses doigts fins!... Et j'avais de ces nœuds dans l'estomac, ma chère! J'avais peur qu'il se rende compte de mon trouble, qu'il me traite de grande folle, qu'il se sauve en courant, c'est ben simple, j'imaginais le pire et je tremblais de plus en plus! Je baissais les yeux pour ne pas qu'il devine mon désir, mais je pense que toute ma sueur sentait le sexe! Lorsqu'on est arrivés au mouvement où je fais le grand écart sur lui, tu vois ce que je veux dire? Debout, ma jambe sur son épaule... bien collés ensemble, il se penche un peu par-devant pour cambrer mes reins... qu'est-ce que je sens? Là, sur ma cuisse? Ah! Je pensais défaillir! Il bandait, *thank God*, il bandait!

Suzie-Kim se rendit compte avec amusement que les serveurs s'attardaient un peu plus autour de leur table et que leurs mouvements accusaient un net ralentissement. Faussement discret, Francis poursuivit.

— On continue à virevolter ensemble, et tout à coup, alors que je suis dos à lui, prisonnier de ses bras musclés, j'appuie mes fesses solidement contre son pénis. Oh! *my God!* Je pense qu'il n'entendait plus la musique! Il m'a poussé devant lui pour ensuite me plaquer d'aplomb contre le mur; j'avais son chorizo imprimé dans la chair! Il s'est mis à débiter un tas de phrases en espagnol pendant qu'il descendait ses leggings, et que je m'arrachais pratiquement les deux paires de bas de nylon!

Je l'ai poussé pour me pencher (j'ai toujours les orteils pris dans ce maudit tissu!), et imagine-toi qu'il n'a fait ni une ni deux, il a relevé ma jupe par-dessus ma tête et j'ai eu tout juste le temps de me tenir les couilles pour lui présenter mes jolies petites fesses blanches! Il s'est dépêché de m'embrocher, ma fille! Oh! *boy!* Il avait déjà commencé à sécréter, ça m'a juste fait un délicieux pincement à l'arrimage et après, oumpf!

L'air extatique de Francis qui se mordait le poing fit frémir les serveurs.

Pendant que le jeune homme bénéficiait d'un service vraiment hors pair de la part du personnel du restaurant, la jeune Chinoise se remémora la toute première fois qu'elle fut initiée à l'autre versant, à l'essence qui animait ce frêle garçon de café.

*   *   *

Passé : été 2004

Déjà fidèle au restaurant Mercure, Suzie-Kim y dégustait une crème brûlée quand Francis s'était penché vers elle avec des airs de conspirateurs. «Je suis tellement excité! Ce soir, je participe à un concours tout spécial. Si tu es curieuse, viens au Némésis vers 23 h!»

La masseuse se présenta à l'heure à la porte de ce club miteux, en remarquant à peine les affiches qui en tapissaient l'entrée. Toute seule à une table jouxtant la scène, elle sentait l'inquiétude la gagner à mesure que le temps passait : nulle trace de son nouvel ami! Elle sirotait nerveusement son verre d'Amaretto Sour lorsque les lumières s'éteignirent et tous les spots convergèrent vers la grosse boule en miroir, accrochée en haut de la scène minuscule. Aux accents d'une musique de cirque, une étrange créature mi-femme, mi-homme s'avança dans la lumière et souhaita la bienvenue aux gens qui s'étaient déplacés pour assister au concours de miss Drag débutante Némésis! Interloquée, Suzie-Kim en oublia son verre.

— Comme vous le savez, ce soir, c'est la demi-finale! annonça l'animatrice avec un accent joual pur *Belles-sœurs*[3]! N'hésitez pas à applaudir chaudement nos six candidates, toutes plus talentueuses les unes les autres! Elles ont travaillé fort pour vous faire plaisir, quasiment aussi fort que moé pour

---

3 *Les belles-sœurs*, pièce de Michel Tremblay, 1968.

coudre ces maudites étoéles sur ma robe! Ben oui, chose! Créyéz-lé, créyéz-lé pas, c'est du tissu de ValMar, ça, mesdames et messieurs! Y ont toute là-dedans! On achète ça au mètre et ça nous coûte pas plus cher qu'un *shooter*! D'ailleurs, n'hésitez pas à faire signe à Laurette, notre *shooter-girl*, qui traîne sur elle un bon 120% d'alcool, sans compter le taux qu'elle a dans le corps! Applaudissez-la! Oui! oui!

La Laurette en question, jolie et très grande femme (peut-être?) en robe lamée violette, monta sur scène, deux bouteilles de vodka ondulant sur les hanches et une autre à la main. Elle prit une pause à la statue de la Liberté, puis retourna dans la salle en décochant un radieux sourire en direction de la jeune Asiatique, qui n'avait pas assez d'yeux pour enregistrer tout ce qu'elle voyait.

Un couple étrange, arrivé en retard, se faufila et prit place à sa table en esquissant un sourire d'excuse. Suzie-Kim crut reconnaître un homme de théâtre très prolifique, les cheveux presque blancs, un beau monsieur, quoi! tenant amoureusement par la main un très jeune homme plus grand que lui, maquillé, coiffé d'une perruque blonde courte et d'une robe noire tout aussi *écourtichée*, aurait dit sa grand-mère!

L'animatrice enchaîna aussitôt: «Veuillez maintenant applaudir notre première participante, Sssssssannnnnnndraaaaaa!»

À compter de cet instant, les souvenirs de Suzie-Kim étaient flous. Elle fut trop estomaquée devant l'apparition irréelle d'une superbe jeune fille, aux longs cheveux auburn, à la robe immaculée, dansant avec grâce sur des talons vertigineux. C'était Francis? Oui et non... c'était... Sandra!

La jeune Asiatique avait également le vague souvenir d'une candidate qui s'était adjoint deux véritables danseuses, en espérant ainsi confondre les juges par leur grâce. Ses effets de manches camouflaient à peine certains trous de mémoire, l'obligeant à remuer les lèvres comme un poisson en attendant de rattraper la strophe oubliée. Son dépit avait été d'ailleurs très palpable lorsqu'elle avait quitté la scène sous des applaudissements polis, abandonnant sur le sol une fleur de tissu. Après une autre prestation presque aussi désastreuse, Suzie-Kim s'était demandé par quel miracle ce garçon avait pu se faufiler en demi-finale, jusqu'à ce qu'elle intercepte le regard enamouré d'un des juges !

Tout ce qu'elle se rappelait, finalement, c'était qu'à la toute fin du concours, où avaient défilé d'autres hommes tout aussi spectaculairement féminins, l'animatrice avait annoncé en grande pompe le nom des trois finalistes qui se présenteraient à la finale et avait réclamé, entre autres, sur la scène : Sandra ! Suzie-Kim avait lancé un « Ouais ! » bien senti et avait applaudi à en avoir les mains toutes chaudes.

Lorsque l'aspirante miss Drag débutante Némésis était descendue dans la salle, la jeune masseuse lui avait spontanément sauté au cou, même si leurs échanges avaient été jusque-là assez sporadiques et réservés. Le jeune garçon était radieux.

— Tu es tellement... belle ! s'était émerveillée Suzie-Kim, presque jalouse de voir à quel point le maquillage ne semblait avoir aucun secret pour lui !

Volubile, il lui avait montré comment sa robe tenait avec deux gouttes de colle chaude — « C'est toi qui l'a fait ? » —, que son talon était en train de lâcher et que l'arabesque qu'il avait fait en finale était purement fortuite. Un peu plus et c'était le tour de reins assuré !

Une serveuse l'avait interrompu en lui apportant un cadeau : une bouteille de Smirnoff Ice « de la part du monsieur là-bas, au fond ». Sandra s'était envolée, promettant de revenir. Elle fit ainsi quelques allers-retours pour minauder avec des admirateurs.

Suzie-Kim se souvenait aussi de lui avoir demandé depuis combien de temps il se préparait à faire le travesti et la mine soudain sérieuse du jeune homme l'avait étonnée. D'un ton docte, celui-ci lui avait servi un rapide cours *Travesti 101*.

— Le couple qui était assis avec toi tout à l'heure, eh bien l'homme était avec un travesti. Il y en a plus qu'on pense, des hommes qui adorent ce genre de «femmes», des «plus que femmes», peut-être des nostalgiques des années 1940, où les femmes prenaient vraiment soin d'elles et prenaient des heures à se pomponner! Alors, le travesti, c'est un homme qui prend un réel plaisir à s'habiller en femme et à sortir sur la rue comme ça. Souvent, tu vas remarquer qu'ils s'habillent très, très *sexy*, la jupe au ras le bonbon.

— Comme pour prouver qu'ils sont capables d'être aussi aguichants qu'une vraie femme, peut-être? interrogea Suzie-Kim.

— Nous, on est des *drags*. On s'habille en femme pour faire un spectacle, mais on ne le fait pas en dehors de la scène. Il y a des *drags* qui sont presque des clowns, et d'autres qui mettent au point des numéros très structurés et complexes. Il y a aussi des personnificateurs, qui vont se spécialiser, ils vont personnifier une ou plusieurs chanteuses et ça devient leur marque de commerce. Moi, j'espère me faire remarquer assez pour avoir un jour des contrats dans les meilleures boîtes de *drags* en ville! Ah! Excuse-moi encore, je viens de voir un ami là-bas!

L'estomac de Suzie-Kim lui avait rappelé alors que son dernier repas était loin et elle s'était effacée discrètement, laissant Sandra à ses rêves de gloire.

* * *

Présent : jeudi
14 h 15

— You-hou! Suzie-Kim! Tu penses à quoi, là?

La jeune femme plongea ses yeux bridés dans les yeux noirs de Francis.

— Je repensais au Némésis! D'ailleurs, si je me souviens bien, tu n'avais pas gagné la finale, mais tu avais quand même impressionné tout le monde! *And now*, Sssannnndraaaa? Quels sont tes projets?

Le garçon passa la main dans ses cheveux, en soupirant exagérément.

— Pour le moment, je suis super «frustré sexuel». Oui, oui! «Frustré sexuel» au boutte! Ça fait j'sais pas combien de temps que... Ah! Faut que j'arrête d'y penser, c'est rendu que j'me tape sué nerfs moi-même! Lorsque j'étais aux *States*, j'ai mis au point des numéros réellement fantastiques, mais que je n'ai pas pu produire nulle part. Là-bas, tout est *big*, tu sais. *No money, no show!* Il y a quelques jours, j'ai engagé de nouveaux danseurs, (que je compte bien séduire, tu t'en doutes bien!) et je veux monter mon propre spectacle. J'ai entendu le plus grand bien de Chez Dodo, l'ancien club de Gérard Toupin, alors je vais aller voir si je peux m'y faire voir. Y a sûrement quelques folles qui se souviennent de moi et... faut bien recommencer quelque part!

Comme d'habitude, la bouffe avait été parfaite, le service impeccable et Suzie-Kim ressentit un réel bonheur d'avoir fait de ce restaurant son deuxième salon et d'y avoir invité tant d'amis! Malheureusement, toute bonne chose ayant une fin, la jeune femme dut prendre congé de son copain retrouvé depuis peu. Il lui fallait passer chez son esthéticienne pour un traitement facial et pour se faire épiler les jambes. Ensuite, elle se réservait un petit plaisir personnel : le rasage.

La jeune femme se leva.

— Moi aussi, ce soir, j'ai un contrat spécial, mais je ne peux t'en dire plus !

Puis, elle gronda Francis qui avait habilement esquivé les sujets trop sentimentaux. Les deux amis se séparèrent avec la promesse de se revoir très bientôt.

* * *

**Présent : jeudi
16 h 30**

Le rasage. Chez Suzie-Kim, cette occupation pourtant banale constituait un véritable rituel. Elle mettait en place tous les éléments requis pour ce cérémonial dont elle était l'ultime déesse. Le choix du rasoir s'était imposé de lui-même et ce, depuis plusieurs années, à la suite de tentatives aussi vaines que douloureuses de dompter à tout jamais sa pilosité noire et raide. Et puis, cet instrument lui offrait toujours la possibilité de varier la densité et les ombrages sur son mont intime, même si la mode érotique privilégiait les vulves vierges de tout poil. Elle se souvenait des gravures anciennes, où une femme allongée voluptueusement, les jambes serrées, présentait une vulve couverte d'un joli triangle bien entretenu, dont la pointe filait en une ligne coquine qui prolongeait celle des cuisses. C'était un symbole visuel universel et immédiatement identifiable.

Suzie-Kim opta ce jour-là pour le rasage en forme de *ticket de métro*, un compromis qui avait l'heur de plaire autant aux amoureux de la chair nue qu'aux tenants de la pilosité féminine.

La jeune femme sortit son rasoir à tête pivotante du boîtier et le déposa sur le rebord du bain, tout à côté de la bouteille de mousse à raser, qui présente une si belle silhouette phallique et qui remplit parfois avec merveille un rôle auquel le fabricant n'a sûrement jamais pensé...

Elle déplia une serviette douce, l'étendit sur le rebord du bain et se déshabilla. Son corps, tel un chiot pressentant la promenade, s'impatientait déjà. Son sexe savait à l'avance les délices qu'il allait ressentir et une agréable pression saisit les parois de son vagin.

La jeune femme posa ses fesses tout au bord de la serviette et écarta largement les jambes. Elle recueillit un peu d'eau à même le robinet et en humecta sa peau. Puis, elle pressa le bouton du distributeur de gel moussant et mira dans la lumière cette substance bleue qui se transformait au contact de l'air, en jolie mousse immaculée. Quelle onctuosité! Ses doigts n'épargnèrent aucun pli et bientôt, la demoiselle traça avec la lame des stries précises et efficaces, comme le chasse-neige qui ouvre un chemin.

Suzie-Kim rinça son instrument et continua son défrichage, étirant la peau des cuisses de façon à bien atteindre chaque région. Elle frissonnait d'anticipation dès que le rasoir s'approchait du canal clitoridien. Sa petite tige bien cachée réagit immanquablement au moindre contact; et déjà, elle s'éveillait et incitait le petit bourgeon d'amour à surgir de son capuchon.

La coquine continua son rasage avec application, en feignant d'ignorer le plus possible cet appel qui monopolisait toute sa région génitale. Elle délimita minutieusement la bande de fourrure qui subsisterait, puis tendit encore plus l'épiderme qui l'entourait de façon à trancher la tête des poils naissants. Une fois la peau relâchée, ceux-ci rentrèrent de quelques millimètres sous l'épiderme, conférant au joli mont de Vénus une douceur incomparable.

À l'aide d'un petit ciseau de coiffeur, Suzie-Kim égalisa ensuite son petit tapis noir et admira, pendant quelques secondes, le joli contraste entre le blanc de sa chair, ses lèvres bien rosées et enfin, cette lanière sombre, plongeant directement au-dessus de sa vergette déjà gorgée de l'attente du plaisir.

Elle empoigna enfin sa douche téléphone, régla le jet au plus doux et commença à s'asperger lentement d'eau tiède. Son vagin palpita de plus en plus. Il réclamait une stimulation plus directe, trop assoiffé de jouissance! Suzie-Kim se fit maîtresse et esclave. Elle se torturait en traçant de larges cercles paresseux sur ses cuisses, s'éclaboussant les aines comme par accident...

Elle se leva, régla le jet pour qu'en surgisse quelques-uns plus agressifs. Elle se fouetta ainsi le bas du dos, goûtant la tiédeur qui s'écoulait entre ses fesses, puis de plus en plus émoustillée, elle se pencha vers l'avant. La jeune femme sentit son anus s'épanouir comme une fleur sous les coups répétés de l'eau et ses contractions involontaires augmentèrent son plaisir. Elle eut tout à coup une pensée fugitive qui lui fit regretter de ne pouvoir disposer d'une douche à jets multiples!

Nerveusement, elle posa les fesses tout juste sur le rebord du gros porte-savon de céramique ancré dans le mur et tourna le mécanisme au centre en ouvrant largement les jambes. Le pommeau de douche positionné sous elle, de gros jets pulsants et drus malmenèrent de nouveau sa rosette. Millimètre par millimètre, l'appareil fut dirigé vers le haut... Le ventre de Suzie-Kim tressauta sous le coup de l'excitation, elle sentit une bienheureuse lourdeur s'emparer de ses bras, sa respiration s'altéra. Elle reconnaissait tous les petits signes qui la menaient vers l'extase; elle se connaissait assez pour savoir si elle allait jouir rapidement ou non.

La demoiselle dirigea les jets bouillonnants directement à l'entrée de son vagin, laissant les fins jaillissements latéraux agiter ses petites et grandes lèvres. Un envoûtant vertige s'empara d'elle, le temps se figea. Elle renversa la tête vers l'arrière en entrouvrant joliment la bouche... Oh... oh que c'est bon!... oh que c'est... c'est...

Son subconscient lâcha soudainement prise : elle écarta les jambes au maximum et orienta imperceptiblement la fontaine pour qu'elle lèche ardemment son clitoris, sans relâche. Le menton sur la poitrine, les yeux clos, elle accueillait sur son visage les fines gouttelettes qui rebondissaient sur son bouton exacerbé.

Oh! oui! Plus vite! C'est bon! Sans faiblir ni varier soudainement le rythme comme le font trop souvent les hommes, le fouet liquide la précipitait vers une jouissance mémorable.

Un son se forma dans sa gorge... l'orgasme survint, si fort qu'elle eût juré que son sang s'était retiré dans ses talons. Si fort qu'elle laissa tomber le pommeau de douche au fond de la baignoire et qu'elle dut fermer les robinets à la hâte, dans un état second, pour éviter que la salle de bains ne soit inondée. Un orgasme puissant qui ne permit plus aucun contact avec son clitoris douloureux pendant plusieurs minutes. Le ventre crispé, les jambes comme du coton, Suzie-Kim entreprit de se sécher, en s'épongeant l'entrejambe avec une infinie délicatesse.

Un bien-être immense parcourut son corps repu et, bienheureuse, elle décida de s'accorder une petite sieste.

* * *

Présent : jeudi
18 h 50
Une table vivante. Voilà la dernière mode du moment dans les restaurants qui se targuaient d'offrir à leurs clients une dose d'érotisme bon marché sous des dehors de luxe inouï.

D'ailleurs, le restaurant haut de gamme où se présentèrent Miss Orient et Lady Rose avait tout pour impressionner quiconque ne parcourait pas la planète avec une carte de crédit sans limites! L'entrée sur la rue étant presque confidentielle, les

filles en déduisirent que la clientèle attitrée recherchait la discrétion. Stars et vedettes du moment pouvaient donc déguster
en toute tranquillité de merveilleux plats typiquement asiatiques, peu dispendieux à concocter, mais offerts à prix exorbi-
tants. Sinon, qui prendrait ce restaurant au sérieux, malgré ses
boiseries, ses plafonds hauts, et ses tapisseries de soie ?

Une liane blonde, parfaite incarnation de la Suédoise type,
vint accueillir les six employées dont la présence allait être fort
remarquée lors de cette fête privée. Tout de suite, Miss Orient
remarqua l'absence surprenante de parfum chez cette hôtesse.
À peine un léger sillage d'antisudorifique. Elle se félicita inté-
rieurement de sa décision d'arrêter de fumer. En se concen-
trant pour affiner son sens olfactif davantage, elle remarqua
que les cheveux de cette femme dégageaient une légère odeur
de shampoing fruité mêlée de relents de fumée refroidie. La
jeune Asiatique plissa le nez de désapprobation.

La dame expliqua que cet événement était réservé aux prestigieux membres du conseil d'administration d'une importante
société de tourisme international. De plus, l'établissement soulignait aujourd'hui son troisième anniversaire.

— Dans cette jungle qu'est la restauration, expliqua-t-elle
avec hauteur et un accent affecté, tenir trois années sans faiblir
tient lieu du miracle et c'est pourquoi monsieur Gotô...

Lady Rose gloussa :

— Monsieur Gâteau ? Il a choisi le bon métier !

— **Go**-tô ! Monsieur vient d'une longue lignée japonaise !
répliqua l'hôtesse avec une moue méprisante.

Pendant qu'elle expliquait que leur employeur souhaitait
recréer le divertissement le plus prisé à la cour impériale du
Japon et qu'elle se tordait la bouche pour en prononcer correctement le nom, *niotai mori*, Miss Orient comprit soudainement
ce qui la chicotait : *Coup d'œil*, été 2002. On annonçait en

couverture l'émergence d'une nouvelle Twiggy[4] de Chicoutimi, du nom de Sylvie quelque chose et déjà, sur la photo, cette blonde affichait un petit air suffisant qui avait immédiatement déplu à l'Asiatique. Elle avait même prédit à voix haute qu'elle n'irait pas loin, celle-là! Et la voici, employée d'un restaurant branché... Elle ne put retenir un petit sourire en coin qui rendit la blonde un peu perplexe.

— Je m'appelle Smilla et c'est à moi que vous devrez vous adresser en tout temps.

La *Suédoise* conclut son laïus en leur faisant bien sentir qu'elles avaient été choisies pour leur beauté, certes, mais aussi parce qu'elles exerçaient toutes un métier disons... qui allait de soi avec une certaine ouverture d'esprit.

— On ne sait jamais comment va se terminer ce genre de *party*, vous voyez? C'est pourquoi votre cachet est si généreux et rien ne vous empêchera d'accepter certains pourboires. Par contre, vous devrez signer ce contrat, qui vous interdit de rapporter à l'extérieur de ces murs le moindre détail concernant cette soirée. Tous les employés, y compris moi-même, l'ont signé.

Elle les conduisit ensuite aux toilettes de l'endroit, au sous-sol. Dans un joli bol reposaient des petits rouleaux de serviettes éponge chaudes, délicatement parfumées de fleurs d'oranger et de jasmin. Smilla leur demanda de s'en servir pour nettoyer parfaitement leur visage et leur recommanda de se maquiller ensuite très légèrement.

— Aucun parfum ne sera toléré, par respect pour la nourriture qui sera servie. Et personne ne fumera non plus après le début du repas.

Smilla tendit une clé à Miss Orient qui se voyait désigner la responsabilité de verrouiller le petit cabinet sous l'évier, où

---

4 Premier mannequin unisexe célèbre dans les années 1960, Twiggy est née à Londres.

allaient être cachés vêtements et sacs à main. Elle lui rendrait la clé lorsqu'elles auraient toutes terminé leur préparation. L'hôtesse les enjoignit à se déshabiller et à enfiler de minces pantoufles de papier comme on en retrouvait à l'entrée de certaines cliniques et salons de coiffure.

Miss Orient se dévêtit donc en compagnie de six autres filles dites «exotiques». Outre Lady Rose, dont les cheveux incendiaires, les taches de rousseur et la peau crémeuse trahissaient les gènes irlandais, il y avait Gina, qu'elle salua, une pétulante petite blonde platine à la peau cuivrée et aux traits indéniablement amérindiens. Sabina, à la chevelure noire et rebelle, ponctuait son discours de mots italiens en reniflant sans cesse. Bahiya, dont le prénom arabe signifie *belle*, une superbe grande femme aux traits nobles, lui tendit une main impeccablement manucurée. Enfin, cette petite O.N.U. de pacotille n'aurait pas été complète sans une ravissante Noire, aux yeux de biche, répondant au curieux nom de Lucky. Lady Rose lui adressa un signe de la main. Lucky s'attira des regards navrés lorsqu'elle demanda ingénument si elles devaient se déshabiller entièrement. La danseuse rousse alla lui glisser à l'oreille que ce ne pouvait pas être pire que de subir les moues suggestives du photographe de *Québec sexy*!

Les filles s'emparèrent rapidement des petites serviettes douces. Quelqu'un cria du haut de l'escalier qu'il leur restait une quinzaine de minutes. C'était l'heure de choisir dans leur trousse de maquillage les couleurs les plus discrètes, mais néanmoins les plus flatteuses pour chacune. Miss Orient était impressionnée de voir que Bahiya se contentait de souligner d'un trait de khôl ses yeux magnifiques.

Sabina termina la première. Elle s'admira dans la grande glace en relevant sa chevelure noire de ses deux mains. Puis, elle fouina vivement dans son sac à main et en ressortit d'un geste brusque un petit sac rempli de poudre blanche qu'elle agita à tout vent, puis un autre regorgeant de pilules colorées.

— Qui en veut? C'est ma tournée!

Miss Orient estima que pour une soirée où elles devraient demeurer immobiles, la drogue n'était certainement pas une bonne idée. Néanmoins, quelques filles entourèrent Sabina, reniflèrent en cœur et s'essuyèrent le nez avec des airs complices, d'autres gobèrent quelques cachets. Elles s'exclamèrent qu'elles étaient maintenant prêtes à tout, qu'elles avaient hâte de se retrouver dans l'action. Il y avait de la fébrilité dans l'air.

Lady Rose s'approcha de Miss Orient.

— Ça va être drôle, non? On va servir de table, toute en courbes sssensouelllllllllles! En tout cas, on est pas mal plus *cutes* que les derniers modèles d'Ikea!

Dans l'hilarité générale, l'Asiatique entreprit de placer tous les objets dans le petit espace qui leur était imparti.

Sabina soupira d'une voix vibrante: «Toute cette soirée... *È talmente eccitante, no*[5]?» Puis, elle recommença à se contempler dans le miroir, se tourna, se retourna, descendit ses mains sur ses seins généreux, se pencha un peu vers l'avant, glissa un doigt sur son aréole foncée et regarda le mamelon se dresser avec un plaisir évident. Elle cacha ensuite ses mains sous sa poitrine pour mieux la soulever, comme une offrande. La chaleur de la drogue l'envahit et elle tenta d'accrocher le regard des autres filles.

Elle surprit une lueur fugace dans les yeux de Gina. Elle se pencha un peu plus sur le comptoir, toujours en la fixant par-delà la glace, en relevant la croupe et en mouillant ses lèvres d'un tout petit bout de langue rose.

Elle ferma les yeux et sentit dans ses fibres la caresse des yeux de Gina. Sa vulve se gonfla et devint appétissante, elle la

---

5 C'est tellement excitant, non?

devina qui jaillissait, toute bombée, d'entre ses cuisses. Elle imagina ses fesses dorées présenter ses grandes lèvres carminées comme un joyau... Sans s'en rendre compte, l'Italienne commença à caresser le bout de ses seins et elle était complètement absorbée par son désir croissant. Le feu au corps, elle se languissait, son corps s'impatientait. Elle frappa du plat de la main la surface luisante du comptoir, écarta les jambes et dévoila sa fente abondamment lubrifiée.

Sabina ne saurait jamais qui lui avait cédé. La femme garda les yeux obstinément fermés, pendant qu'elle jouissait d'une langue qui lui torturait le clitoris et suçait goulûment son jus, pendant qu'une autre bouche pressait son mamelon, que des mains douces glissaient sur ses cuisses, empoignaient son ventre, froissaient ses cheveux, et que d'autres seins moelleux se frottaient sur ses reins, qu'un autre mamelon bien dur frôlait sa joue pour qu'elle le cueille entre ses lèvres, qu'une main emprisonnait la sienne à l'entrée d'un autre sexe mouillé et guidait son majeur vers un vagin tout chaud. Plus une parole n'était échangée, que des soupirs, des gémissements, des bruits de succion, de plus en plus vite, de plus en plus frénétiques et des cris! Des cris!

* * *

Miss Orient s'assura que le cabinet renfermait tous les effets personnels des jeunes femmes. Plusieurs avaient dû retoucher leur maquillage à toute vitesse. La Chinoise remonta l'escalier en s'amusant du chuintement des pantoufles de papier sur le ciment. Les autres étaient déjà réunies autour de leur «cheftaine», à qui elle remit les clés. Celle-ci toisa, avec un air qui trahit un peu d'envie, ces femmes qui avaient fait bander tout le personnel du restaurant par leur manque de discrétion. Elles portaient toutes leur nudité avec un naturel désarmant, mis à part peut-être Lucky qui jetait des regards intimidés autour d'elle.

— Au fond de la salle, il y a des petits trucs que vous pouvez grignoter : la soirée va être longue. Par contre, arrangez-vous pour ne pas avoir envie d'uriner. Pour les urgences, il faudra attendre un changement de service et ma permission expresse. Nous vous voulons immobiles, *gut*[6] ? Vous avez encore une dizaine de minutes. Ah oui, vous avez peut-être déjà remarqué qu'il y avait des brosses à dents jetables pour vous, en bas, vous pouvez aller fumer là-bas, au fumoir.

Miss Orient regretta de ne pouvoir se couvrir un peu, elle qui avait facilement froid. Cela ne sembla pas du tout gêner le serveur vietnamien chargé de leur donner quelques bouchées et qui se rinçait l'œil sans vergogne. Heureusement, la qualité de la nourriture était à la hauteur de la réputation du restaurant et on leur offrit les mêmes entrées que celles qui allaient être proposées aux invités !

Smilla distribua ensuite à chacune un aérien voile de gaze de soie. Gina le fit tourbillonner et le tint au cou des deux mains, à la manière d'une cape. En riant, elle s'autoproclama princesse abénaquise, en prenant des poses altières. Elle était appétissante comme un pain d'épice, sa petite taille accentuant ses seins pointus et ses fesses bien rondes. Son pubis lisse prolongeait un petit ventre attendrissant. Les filles souriaient, Sabina renifla bruyamment et Smilla leva la main pour imposer le silence en lui jetant un regard noir.

— J'ai ici des protège-mamelons, s'il y en a qui en veulent. Je vous les recommande parce que certains clients ne sont pas très délicats avec leurs baguettes.

---

6 Bien ?

Intriguées par cette remarque, les filles prirent chacune une paire de coupoles rosées moulées dans une matière souple et gélatineuse, dont le mamelon était exagérément gros, comme une tétine de biberon.

Smilla les accompagna chacune à la table qu'elles occuperaient. Il s'agissait de larges tables spécialement recouvertes d'un tissu matelassé rouge et or. Elles devraient monter sur un petit tabouret pour s'installer correctement sur leur autel. Miss Orient apprécia qu'un petit coussin serve de repose-pied. Un *takamakura*, petit banc de bois rembourré de paille, supporterait sa nuque confortablement.

Un magnifique serveur cintré dans un tablier blanc amidonné se présenta. Manee, Thaïlandais d'origine, lui offrit de l'aider à s'installer avec un large sourire franc, dépourvu du moindre regard ambigu. Il accueillit ensuite le nom de travail de l'Asiatique en inclinant légèrement la tête.

— C'est une joie pour moi de travailler ce soir avec une femme aussi splendide !

Miss Orient se sentit subitement plus en confiance et plus détendue. Elle lui confia son étonnement devant tant d'origines asiatiques différentes parmi le personnel.

— Vous savez, les clients viennent dans un restaurant japonais et pour eux, tous les yeux bridés se valent !

La jeune femme fut étonnée et agréablement ravie du vouvoiement employé par le jeune homme.

— J'aurais cru qu'il n'y aurait que des femmes pour servir, si l'on se fie à un proverbe japonais qui se termine par quelque chose comme : [...] *celle qui sert le saké doit être belle !* dit-elle.

Manee sourit d'un air entendu en passant la main sur son biceps saillant sous sa chemise noire.

— Vous savez sans doute que certains hommes... préfèrent être servis par d'autres hommes... jeunes, de préférence. Si ce n'est pas eux, alors leur épouse appréciera!

La jeune femme plaça les coupoles gélatineuses sur ses mamelons, serra les bras le long du corps et Manee déploya la gaze au-dessus d'elle en la laissant retomber comme une plume. Elle ne put retenir un léger frisson et apprécia de pouvoir cacher ses mamelons érigés sous ce curieux accessoire, sans réaliser sur le coup que les deux pointes de gélatine soulevaient le tissu d'une manière encore plus suggestive!

Manee resta imperturbable. Il s'éloigna et revint avec trois tranches de rhizome de lotus qui dégageaient une légère odeur vinaigrée. Lorsque la jeune femme lui en fit la remarque, il expliqua que c'était pour leur éviter de noircir. Il disposa les jolies rondelles trouées en triangle, juste au-dessus du pubis de Miss Orient. Le serveur s'attarda un peu, lui demanda de ne plus bouger, répandit délicatement ses cheveux autour du petit banc de bois.

— Ça ira? Vous n'avez pas trop froid? Vous verrez, tout à l'heure, il va faire chaud ici...

Le jeune homme disposa ensuite huit plateaux de bois de chaque côté d'elle. Près de sa tête, au niveau de sa poitrine, à côté des hanches et frôlant ses chevilles. Il lui expliqua qu'à leur arrivée, les invités seraient appelés à chaque table par ordre d'importance. Les quatre premiers s'installeraient près de la poitrine et du ventre, là où le plus grand nombre de bouchées allaient être réunies. Les autres devraient étirer le bras et se soulever un peu pour aller cueillir leur nourriture.

— Parfois, ajouta-t-il, lorsque les invités du centre sont trop gloutons, le serveur doit apporter une petite assiette à part pour ceux qui sont situés aux extrémités. Ces invités ne manquent de rien, mais perdent le plaisir de se servir sur la table vivante.

Miss Orient s'informa pour savoir si le restaurant cultivait une habitude de ce genre d'événement. Manee haussa les épaules et répondit qu'il s'agissait d'une première pour lui. Il ne faisait que répéter les instructions fournies par monsieur Gotô.

Pendant que le serveur allait chercher les bouchées qui couvriraient son corps, Miss Orient jeta un regard dans la salle et attrapa au vol un clin d'œil ravi de Lady Rose. Toujours de bonne humeur, celle-ci se réjouissait de tout ce qui lui arrivait, et roulait des yeux coquins en désignant le beau Japonais qui serait le serveur attitré de sa table.

Gina se tortillait déjà d'inconfort. Elle était faite pour l'action et commençait déjà à se demander si elle tiendrait toute la soirée. L'Asiatique paria qu'elle serait la première à se relever et à divertir les clients d'une autre manière.

Sabina se trouvant à sa tête, il lui était impossible de savoir comment elle s'accommodait de la situation. Par contre, Miss Orient eut le temps de voir s'approcher d'elle une ravissante serveuse. Elle avait remarqué que les boutons de sa chemise blanche risquaient de céder à tout moment sous la pression des deux superbes obus qui pointaient sous le tissu ! Et elle aurait mis sa main au feu que Sabina brûlait déjà de glisser la sienne sous la minuscule jupe noire de sa jolie comparse.

De leur côté, Bahiya et Lucky étaient parfaitement immobiles. Du point de vue de Miss Orient, elles semblaient presque dormir. Subitement, l'Asiatique eut l'impression de voir des stèles funéraires. Placées presque côte à côte, recouvertes de gaze, les yeux clos, on aurait dit deux princesses mortes en route sur le Styx[7], vers les enfers.

Le serveur revint, chargé d'un lourd plateau.

— Vous allez être la plus appétissante, belle demoiselle !

Avec des pincettes argentées, il déposa délicatement nigiri sushis, norimakis, minirouleaux de saumon mariné aux herbes

---

7 Mythologie grecque : nom du fleuve conduisant les morts aux enfers.

sur pain de seigle, canapés garnis de crevettes, pétoncles, mousse de foie de canard et écrevisses, brochettes de mini légumes et autres bouchées, selon un ordre qui semblait préétabli. Tout en travaillant rapidement, il expliqua que le corps servait de toile de fond au plus gourmand des tableaux.

— Ces bouchées sont de véritables joyaux, comme vous avez pu le constater tout à l'heure! Les reflets irisés du caviar de corégone, les gros grains gris moelleux du Beluga Royal, l'Ossetra Imperial, si joliment ambrés, les kakis, les rouges explosifs... toutes ces petites pierres précieuses saupoudrées ici et là sur les bouchées maritimes sont de véritables poèmes et vont sublimer les courbes de votre corps!

Miss Orient se laissa bercer par le babillage de Manee et sursauta lorsqu'une brise fraîche l'enveloppa brusquement. Les portes du restaurant étaient maintenant ouvertes et tous les clients qui attendaient patiemment au bar adjacent étaient escortés, dans un ordre très précis, vers la table vivante qui allait leur être assignée. Chacun d'eux portait un badge aux couleurs de cette association mondialement reconnue. L'Asiatique vit s'approcher Smilla, très élégante et souriante, dans un fourreau en lamé noir. Elle murmura à chacune: «Bonne chance!» et ajouta, à l'intention de Sabina: «Et on ne renifle pas!»

«Quel caméléon, cette fille!» pensa Miss Orient. Elle s'efforça de ne pas tourner la tête et se concentra sur le poids de la nourriture sur son corps. Elle ressentait différents niveaux de température, c'était plus froid ici, tiède là... et plutôt humide par là! Et les odeurs! Marines, raffinées, subtiles!

Impassible, le serveur se tint à ses pieds, droit comme un *I*. Aussitôt que s'approcha le premier couple, un sourire radieux illumina son visage et il s'empressa de tirer la chaise pour la dame. Des exclamations de ravissement saluèrent le travail des cuisiniers et la mise en scène chatoyante rehaussée par de petites lumières halogènes judicieusement orientées. Des assiettes contenant de petites serviettes chaudes commencèrent à circuler.

Comme s'il y avait eu un signal secret, une céleste mélodie se répandit dans le restaurant. Penchées sur leur shamisen[8], de ravissantes geishas en kimonos turquoise, brodés de fleurs et d'oiseaux multicolores, plongèrent instantanément les invités dans l'atmosphère des meilleurs salons de thé japonais. Le saké pouvait dès à présent couler à flots.

Miss Orient décida de fermer les yeux et de se concentrer sur sa respiration, qu'elle voulait aussi discrète que possible, de façon à garder immobile l'éclatant tableau qu'elle supportait. Elle sentit la chaleur des gens qui l'entouraient et remarqua que les effluves maritimes se concentraient, que les niveaux de température sur son corps variaient selon que la gaze se découvrait ou que Manee venait combler les espaces, libérés par les convives, par d'autres bouchées délicieuses.

Elle était tellement concentrée qu'elle n'entendit même pas Smilla la présenter aux dîneurs. Ceux-ci, un peu déçus de voir leur table vivante presque endormie, cherchèrent un moyen pour forcer l'Asiatique à ouvrir les yeux. Le plaisir de participer à ce type d'activité étant, bien entendu, de ressentir un fugitif sentiment de puissance, l'acte de manger sur un corps humain offert aux regards (et, espérait-on, éventuellement aux touchers) ouvrant une porte secrète à la jouissance de disposer d'une esclave.

Aussi l'attitude de Miss Orient amena-t-elle un Allemand riche et costaud à manquer délibérément le cube de thon rouge posé sur le nombril de la jeune femme. Les baguettes

8 Guitare traditionnelle dont le nom signifie : « Les trois cordes parfumées. »

s'enfoncèrent brusquement dans sa chair tendre, si peu protégée par la gaze de soie. Manee, à qui rien n'échappait, posa brièvement la main sur l'épaule de Miss Orient, dont le ventre avait tressailli fortement, tout en s'adressant au client, comme il se devait.

— Tout va bien, monsieur?

Ce dernier, satisfait d'avoir forcé cette Chinoise à le regarder, prêt à se moquer d'elle pour les quelques makis qui avaient roulé sur la table, opina du bonnet.

— *Ja ja, ist es vollkommen!* Parfait!

Sa compagne, une rousse au visage poupin dont les seins généreux semblaient en prolonger le contour tant ils étaient remontés par un soutien-gorge pigeonnant, s'esclaffa et déclencha ainsi l'hilarité de toute la tablée. Miss Orient resta donc les yeux ouverts, mais tout son corps demeurait maintenant tendu, dans la sourde crainte d'une autre fantaisie blessante.

Une voix mélodieuse, certainement une des geishas musiciennes, annonça la prochaine pièce, en cinq langues différentes qu'elle torturait délicieusement. Il s'agissait d'une pièce classique du répertoire de musique de chambre japonais, une pièce en six mouvements, pour koto[9], shakuhachi[10] et shamisen, portant le nom de *Rokudan No Shirabe*.

Les gens applaudirent poliment et se remirent à parler; les serveurs firent d'incessants allers-retours vers les cuisines et servirent une quantité phénoménale de verres de saké. Miss Orient apprit que le vrai saké s'appelait *nihon shu*, parce que l'homme assis juste à côté de sa tête n'arrêtait pas d'en réclamer en levant bien haut sa coupelle. À défaut de fermer

---

9 Long instrument à 13 cordes.
10 Flûte en bambou.

les yeux, l'Asiatique se concentra sur la musique qui la fit voyager dans ses racines profondes.

Soudain, des éclats de voix, des imprécations... «Espèce de brute! *Idiota! Imbecille!*» Sabina se payait une véhémente algarade avec un Irlandais très réchauffé, qui, pour amuser la galerie, s'évertuait depuis dix minutes à tenter de saisir un de ses protège-mamelons avec ses baguettes. L'Italienne avait vu céder ses digues de patience lorsque l'homme, d'un mouvement brusque, avait tiré non seulement le mamelon synthétique, mais avec lui, une partie de la gaze et de son contenu!

Interdits, les convives se jetaient des regards effarés, incertains de l'attitude à adopter. Sabina se leva, malgré les instructions de Smilla, et courut se réfugier dans les toilettes. Elle avait bien besoin de se «repoudrer» le nez, mais se souvint que tous ses effets personnels étaient sous clé! Elle se dépêcha d'uriner et remonta l'escalier sans se soucier de sa nudité. D'un air de défi, elle saisit une carafe à saké sur le plateau d'une serveuse et en but une importante rasade. Pendant ce temps, l'Irlandais s'était exclamé, les bras levés: «*Did anybody find my four-leaf clover?*», ce qui permit à tous de rire un bon coup et de détendre l'atmosphère.

Smilla escorta Sabina à la table et lui murmura qu'elle devrait subir une punition exemplaire. Son coup d'éclat avait fait mauvaise impression sur les distingués convives et la réputation de la maison était en jeu. Elle la fit remonter sur la table déjà toute prête à l'accueillir et elle dut s'allonger, nue et sans la gaze protectrice. Fait nouveau: deux petits bancs de bois aux extrémités de la table soutenaient maintenant ses chevilles à bonne distance l'une de l'autre.

Les femmes gloussèrent pour masquer leur gêne et les hommes se raclèrent la gorge en reluquant le pubis impudique de Sabina. Smilla claqua des doigts. Sa serveuse chinoise déposa délicatement un pétoncle moelleux et frais sur chacun des mamelons de l'Italienne et une crevette géante, directement sur sa fente, la queue en éventail sur son mont de Vénus! La fraîcheur du crustacé éveilla instantanément le clitoris de Sabina. L'œil exercé de l'Irlandais avait tout de suite noté le tressaillement, et malgré son éthylisme avancé, il sentit palpiter, dans son bas-ventre, son pénis impatient. Il avait aussi conscience des regards carrément envieux que lui réservaient les autres invités. Smilla se pencha respectueusement vers lui et murmura :

— *How do you wish to punish this insolent, Mister ?*

— *I'm so hungry, my dear !* rugit ce dernier avec gourmandise.

L'homme pencha la tête vers la poitrine de Sabina et happa goulûment les deux pétoncles. Puis, il se déplaça au bout de la table. Prenant appui sur ses longs bras, il avança le torse, et partant du genou gauche, remonta l'intérieur de la cuisse bronzée de la demoiselle, en traçant un mince sillon luisant avec sa langue. Toute la salle sembla suspendue à ce mouvement extrêmement provocateur. Quelques convives desserrèrent machinalement leur cravate, quelques femmes se tortillèrent sur leurs chaises, la petite culotte humidifiée. Plus personne ne pensa à manger. L'Irlandais atteignit l'entrejambe de la belle Italienne, et alla cueillir, toujours du bout de la langue, l'extrémité de la crevette dont le rose tendre contrastait joliment avec les lèvres foncées de la punie. Son organe charnu épousait parfaitement les muqueuses qui s'épanouissaient sur son passage et lorsque l'invité se releva, la queue du crustacé pendue à la bouche, Sabina sentit tout son sang se précipiter vers son clitoris.

Smilla tapa dans ses mains et la geisha présentatrice annonça que les tables allaient être préparées pour les douceurs. Les invités se voyaient remettre un «trou normand», en l'occurrence une petite tasse de thé vert, puis un lave-mains. Ils se rassemblèrent ensuite autour de la scène, où allaient se produire deux geishas d'un style plutôt particulier. Leur visage était à peine voilé de poudre de riz, leurs yeux étaient charbonneux et leur bouche en cœur. Leurs cheveux étaient retenus par quelques peignes rutilants en un chignon lâche. Vêtues d'un kimono transparent, révélant d'adorables petits seins et un string immaculé, les deux Japonaises exécutèrent des tours de magie plutôt simples visant plutôt à les faire voir sur toutes leurs coutures. Elles passèrent ensuite derrière un écran où leurs ombres se débarrassèrent mutuellement de leur habillement minimaliste.

Les deux femmes se caressaient gracieusement en poussant d'éloquents soupirs, qui firent augmenter la température de la salle de plusieurs degrés. Les convives commencèrent à se serrer les uns contre les autres, quelques mains s'égarèrent, des braguettes s'ouvrirent... comme par inadvertance. Les serveurs et serveuses détachèrent également quelques boutons de leur chemise et Sabina ne résista pas à plonger la main dans le superbe décolleté rebondi de sa serveuse. Celle-ci lui saisit délicatement le poignet et embrassa le bout des doigts fouineurs en murmurant: «Pas maintenant.»

Manee tendit la main à Miss Orient pour l'aider à se relever et lui proposa dans le même mouvement une coupelle de saké. Elle s'offrit un tour d'horizon du restaurant en retirant ses protège-mamelons et capta le sourire ravi que lui adressa Lady Rose, qui s'étirait comme une chatte, et qui fit ensuite le geste de prendre à deux mains les fesses de son serveur en levant les yeux au ciel. «Quel boute-en-train, celle-là!» songea Miss Orient.

Elle se dépêcha d'aller aux toilettes et y rencontra Gina, qui avait demandé la clé du cabinet pour retoucher son maquillage. Sabina, dont l'excitation sexuelle croissait chaque seconde, surgit derrière elle en réclamant sa coke. Gina ne rechigna pas à y mettre son nez. De son côté, Bahiya n'avait pas bougé de sa table, c'était à croire qu'elle s'était transformée en statue de sel. Miss Orient l'avait vue se lever avec indifférence, à la demande de la serveuse qui s'occupait de sa table, et rester de glace à côté en attendant que les préparatifs du dessert soient terminés.

Seule Lucky semblait vraiment malheureuse de la tournure de la soirée. Elle cherchait en vain à attirer l'attention de Lady Rose, mais aussitôt qu'elle s'aperçut que Miss Orient la regardait, elle se faufila prestement entre les tables vers elle, un bras replié sur sa poitrine et une main en conque sur son pubis.

— Est-ce que tu crois que nous en avons encore pour longtemps? Tu sais, je suis habituée à poser pour des revues pornos, mais je ne m'attendais pas à tout cela! Il y a une invitée qui m'a empoigné un sein en voulant prouver à son mari qu'ils étaient faux! Elle supportait difficilement qu'il me dévore des yeux! Tant pis pour elle, son mari a eu l'air deux fois plus excité lorsqu'il s'est aperçu que ce sont des vrais!

— Ma foi, Lucky, commence par respirer à fond! Est-ce que tu viens en bas? Je dois aller aux toilettes... Tu sais, lorsque Smilla a indiqué qu'on ne sait jamais comment ces repas risquent de se terminer, eh bien, si tu veux mon avis, avec le numéro des Japonaises là-bas, il faut se résigner à ce qui s'en vient! Tu es la plus belle, Lucky! Tu es le cadeau de la maison! Le souvenir que tous ces gens influents rapporteront de leur congrès!

La délicieuse Noire avait esquissé un pâle sourire et était retournée à sa table en haussant les épaules.

Quelques clientes voulurent accaparer les toilettes, ce qui en chassa les filles.

Pendant ce temps, Manee avait étendu sur la table un plastique transparent recouvert d'un carré de soie blanc. Le serveur aida l'Asiatique à s'y étendre, sur le ventre cette fois, la tête posée sur un mince et étroit oreiller d'un tissu de la même couleur. Il prit soin de ramener ses cheveux parallèlement à son visage pour dénuder complètement sa nuque, un puissant aphrodisiaque pour plusieurs Asiatiques. Il avait cette attention spéciale pour le conférencier chinois qui allait être installé tout près de son épaule, car il représentait, à lui seul, tout un fabuleux marché de millions de consommateurs à conquérir.

Ensuite, Manee glissa un traversin sous les hanches de la jeune femme en murmurant une excuse. Il ne put s'empêcher d'apprécier la courbe parfaite de son dos, le creux ravissant de ses reins et ses fesses, ainsi relevées, lui firent penser à une création digne du chocolatier Pierre Hermé, dont il était un admirateur inconditionnel.

— Des fesses de chocolat blanc, quelle merveille! pensa-t-il.

C'était justement parce que la suite était constituée de chocolat que cette association d'idées s'était imposée à lui. Le jeune Thaïlandais, étudiant à l'Académie de cuisine internationale, revint de la cuisine avec un joli seau d'argent dans lequel il plongea une louche de la grosseur d'une balle de ping-pong.

— Attention! prévint-il, cela devrait être tiède.

Levant le bras, il traça sans hésitation, le long de la colonne vertébrale, une ligne chocolatée impeccable. Il replongea l'ustensile dans le liquide brillant et s'amusa du petit lac foncé qui se forma au bas du dos. Inévitablement, deux rigoles partirent chacune de leur côté et se répandirent sur la table, arrachant à Miss Orient un petit rire nerveux.

— Manee, ça chatouille!

— Et ceci, mademoiselle? enchaîna le jeune serveur en orientant maintenant le contenu de sa cuillère vers les fesses bombées. L'Asiatique sentit le fluide se répandre dans son sillon fessier et recouvrir voluptueusement son sexe.

— Oh là là! Manee! Est-ce que vous faites cela dans l'intimité ou seulement devant un tas de gens?

Difficile dans ces conditions de demeurer professionnel! Manee se racla la gorge, hésita, puis se précipita aux cuisines pour en revenir aussitôt avec un plateau chargé de desserts exotiques composés de fruits. Litchis et mangues légèrement grillés, cubes d'ananas abricotés, mini tartelettes de fruits rouges passées à la salamandre, mini brochettes de caramboles et kiwis, compote papaye-mandarine garnissant le cœur d'une demi-poire, des biscuits roses de Reims importés spécialement de la Maison Fossier...

Petit à petit, les espaces de peau de Miss Orient, vierges de chocolat, se recouvrirent des douceurs les plus exquises. Ses narines palpitèrent de bonheur. Manee termina la décoration en semant ici et là sur la table, des fraises et des cerises, toutes prêtes à être saucées dans le chocolat... ainsi que de superbes fleurs de lotus cachant en leur cœur des enveloppes de condoms!

Le magnum de champagne était scrupuleusement maintenu à la température réglementaire de 9 degrés, le seau recouvert de papiers de soie, pour protéger les précieuses bulles de la lumière. Les flûtes en cristal de Baccarat étaient soigneusement alignées, les serviettes de lin pliées à la perfection. Les Japonaises terminèrent leur séance de masturbation devant des convives en nage. Ils applaudirent dans un état second les geishas du premier service qui revenaient les saluer, ainsi que les deux Japonaises qui étaient restées à l'abri de leur écran lumineux. Hagards, les commensaux furent ensuite escortés vers leurs tables.

Les esprits s'allumèrent instantanément devant le savoureux étalage. Des exclamations fusèrent, les bouchons de champagne sautèrent discrètement et le divin nectar délia les langues.

Une élégante chanteuse chinoise et son pianiste vietnamien exhumèrent certains classiques des années 1930 et 1940, de langoureuses mélodies qui teintèrent l'atmosphère de sensualité.

Miss Orient sourit. Une invitée en profita pour glisser entre ses lèvres une fraise fraîche. L'Asiatique la croqua et la dame engloutit la seconde moitié, les yeux chargés de désir. Son époux se leva, fit signe que tout allait bien à Manee qui s'avançait déjà. Il se plaça directement derrière son épouse, en pressant d'une façon non équivoque son bassin contre elle, de façon à ce qu'elle sente bien son érection. La dame blonde saisit une fraise encore plus grosse et, renversant la tête pour regarder son mari, emprisonna le fruit dans ses lèvres en simulant un voluptueux mouvement de va-et-vient. Un mince filet rouge s'échappa et définit le contour de son menton avant de goutter sur son chemisier rose.

Miss Orient risqua un œil dans la salle et s'aperçut que Gina n'avait plus du tout la croupe relevée ; elle était carrément à quatre pattes sur la table ! De longs filaments de chocolat continuaient de s'écouler de ses flancs et déjà, un grand monsieur distingué lui léchait les seins, presque étendu sous elle ! À ses côtés, un autre homme aux cheveux poivre et sel caressait d'une main possessive la bosse qui tendait sa braguette ! Gina ondula, gémit, creusa les reins davantage. Deux femmes se déshabillèrent vivement, le corps en feu et Miss Orient eut à peine le temps de les voir se pencher et allonger leurs bras sur la table que deux hommes lui cachèrent ces séduisants postérieurs. Il était aisé de deviner, d'après les contractions musculaires de leur fessier, qu'ils s'activaient à éteindre les feux qui consumaient ces dames !

L'Asiatique vit apparaître soudainement sous ses yeux un vigoureux pénis circoncis vêtu du fin condom réglementaire, et dont le gland était recouvert de chocolat. Une main velue lui tint obligeamment le menton relevé et son dessert se faufila entre ses lèvres. Elle ignorait quelle tête avait le propriétaire de ce superbe engin, mais elle lui savait gré de ne pas avoir entièrement enduit le condom. Cela lui éviterait l'indigestion de chocolat!

Miss Orient apprécia ce beau membre viril et le gratifia d'un doux et lent mouvement de va-et-vient, timide au premier abord, puis de plus en plus profond, en exerçant une succion de plus en plus prononcée. La main qui tenait son menton commença à trembler. La jeune Asiatique sentit le sang affluer par à-coups dans les canaux et ressentit toujours la même impression d'encouragement. Ce membre chaud et dur réagissait si bien! Elle ralentit subtilement le rythme, joua de sa langue autour du gland turgescent qui menaçait de faire éclater sa prison de latex, puis reprit un rythme plus rapide et régulier qui arracha un sifflement sourd à son client. L'homme se raidit brusquement, les cuisses agitées de soubresauts, se retira et disparut de son champ de vision.

Pendant ce temps, les autres invités n'étaient pas restés de marbre! Des couples, des trios, des quatuors, même, s'étaient formés et tout ce beau monde s'enlaçait un peu partout, même au pied de la scène où la chanteuse faisait mine de ne rien voir, car son tour de chant n'était pas terminé. Le pianiste fit bien quelques fausses notes, mais personne ne le remarqua.

Tous s'embrassaient, se mordillaient, se léchaient, se fouillaient, se pénétraient, jouissaient! Sabina plus fort que les autres, d'ailleurs. Déchaînée par la cocaïne et peut-être par d'autres substances, elle se laissait pénétrer par deux hommes à la fois, tout en se masturbant frénétiquement. Étant donné leur haut taux d'excitation, ils jouissaient trop vite à son goût et de dépit, l'Italienne se dirigea carrément vers la table désertée par Lucky, qui s'était réfugiée dans les toilettes en attendant que ce soit fini! La pauvre, elle avait tout de même été suivie par un Suisse qui, sans autre forme de procès, s'était allongé à même le sol pour qu'elle l'enjambe et le gratifie d'une abondante douche dorée.

Sabina s'étendit sur le dos, les jambes largement écartées et pendantes de chaque côté de la table et s'écria: «*All you can eat! Venite! Venite*[11] !» Elle fut rapidement assaillie par des dizaines de mains qui la palpèrent, la pincèrent, l'effleurèrent, magnifièrent ses seins; des verges l'ouvrirent, s'enfoncèrent en elle, l'écartelèrent, elle en voulait plus, elle étira ses doigts et caressa tout ce qui se présentait: vulves, testicules, fesses. Quelqu'un lui empoigna les cuisses et fit basculer son bassin vers le plafond, une langue la lapa de bas en haut et de haut en bas, mouillant et lubrifiant ses muqueuses irritées par le latex, aspirant son clitoris affamé, s'insinuant dans son anus réceptif. Elle gémit, jouit; ses cris fouettèrent les ardeurs des autres et les enhardirent, les fantasmes se bousculèrent, les fesses s'ouvrirent, les anus livrèrent leur étroit passage et les vulves coulèrent à flots, des femmes goûtèrent des femmes pour la première fois et des hommes se laissèrent pénétrer pendant qu'ils enfouissaient leur nez entre des seins bronzés, en s'étonnant de jouir autant.

Sentant que plus personne ne s'intéressait à ses desserts, Miss Orient décida de s'agenouiller sur la table. Manee, toujours imperturbable, lui servit une main secourable. Miss Orient baissa les yeux et ne put s'empêcher de lui murmurer:

— Monsieur, votre tablier ne réussit pas à tout cacher!

Elle se leva, un peu ankylosée, parvenant à faire quelques pas pour chercher Lady Rose. Elle l'aperçut assise sur le bar, en train de recevoir des instructions certainement particulières de

---

11 Venez!

la part de Smilla sur l'art de déguster les fruits défendus! Celle-ci avait pratiquement le visage enfoui entre les cuisses de son amie, les bras étirés au-dessus de sa tête. Ses doigts pressaient convulsivement les seins laiteux de Lady Rose qui s'était agrippée au support métallique qui vacillait au-dessus d'elle, menaçant dangereusement la stabilité des quelques coupes qui y étaient accrochées. Cette fausse Suédoise semblait avoir tous les talents, à en juger par les halètements qui comprimaient le ventre soyeux de la jolie rousse!

Pressentant qu'il n'était pas vraiment de bon ton d'aller réclamer la clé du cabinet maintenant, Miss Orient décida de faire demi-tour pour retourner à sa table, sans trop savoir ce qui l'y attendait.

Soudain, une main lui encercla le poignet et la fit presque basculer derrière un rideau. Elle se retrouva dans les bras de Manee qui la regardait intensément, un sourire au fond des yeux.

— Je pense que mon quart de travail est fini, Madame. Et j'ai comme une petite faim. Qu'en dites-vous?

Miss Orient se recula et lui suggéra effectivement de laisser tomber le tablier... et le reste aussi, si cela lui chantait. Elle se reput longuement du ravissant spectacle de ce jeune corps ferme, vigoureusement bandé juste pour elle. Et lorsqu'ils se caressèrent, ce fut intense, vibrant, sensuel, doux, sans urgence, dans un concert de sons charnels. Lorsqu'il la pénétra enfin, Miss Orient sentit qu'elle atteindrait rapidement un état de pure félicité!

*　　*　　*

Passé: printemps 2003

Par désœuvrement, et sous la pression de sa mère, la jeune fille s'était inscrite à l'Institut de secrétariat, rêvant de décocher un emploi payant dans une grande société pour ensuite aller vivre dans les quartiers cossus de l'ouest de la ville, endroit quasi mythique aperçu parfois sur les pages des magazines de décoration qu'affectionnait sa mère.

Ces quartiers, elle les découvrirait plus tard et par hasard, en allant visiter Mélane.

Pour l'heure, dans la cafétéria de l'Institut, où depuis deux mois, elle s'évertuait à acquérir un doigté souple à l'ordinateur et une vitesse de frappe qui lui faisait cruellement défaut, elle pesait et soupesait les implications de sa décision de laisser celle qui l'avait adoptée et qui lui en faisait sentir le poids. Pourtant, ce matin-là, en quittant pour de bon le bungalow familial, situé dans la banlieue est de la métropole, Suzie-Kim avait senti un courant chargé d'adrénaline la parcourir. Les heures passant, elle commençait plutôt à se préoccuper de trouver un toit pour la nuit.

Une belle grande blonde, vêtue d'un court bustier turquoise, cousu de minuscules perles dévoilant un nombril parfait, s'était approchée. Suzie-Kim avait remarqué que la minimale bande de jeans qui barrait son champ de vision était griffée, et dévoilait chez sa propriétaire une opulence inhabituelle pour une étudiante. En levant la tête, elle avait remarqué le regard ébloui des cuistots de la cafétéria.

Mélane s'assit devant elle avec son plateau en demandant poliment si la place était libre. Suzie-Kim s'était contentée de hocher la tête affirmativement en remarquant que c'était la première fois qu'elle voyait cette fille à l'école. Elle lui trouvait des yeux bleus magnifiques.

Avec tact, la nouvelle venue s'était présentée, puis avait attendu quelques minutes avant d'engager la conversation. Quelques questions habiles et des silences éloquents avaient encouragé Mélane à offrir à cette jeune perdue un travail très lucratif et moins ennuyeux que celui qui l'attendait à la sortie de cette école.

— Tu verras, ce n'est pas difficile! Bien des gens ont des préjugés sur ce genre de travail, mais dans le fond, dis-toi que c'est un service que tu rends! Un homme heureux et détendu va bien traiter sa femme, crois-moi!

C'est ainsi que Suzie-Kim, aiguillonnée par la curiosité et cette sensation d'aller goûter au fruit défendu, s'était laissée conduire dans un dédale de petites rues, jusqu'à un cul-de-sac d'où l'on voyait une artère importante par-delà un petit parc désertique.

Le triplex miteux devant lequel se gara Mélane n'avait rien pour se distinguer des autres. Suzie-Kim remarqua un frémissement dans le store horizontal qui striait d'ivoire la grande fenêtre du rez-de-chaussée. Sur la porte, une affichette toute simple:

Massothérapie «Mains de fée». Sonnez au 1.

Mélane entra d'autorité en entraînant Suzie-Kim. Un petit hall d'entrée, un guéridon surmonté d'un téléphone, un vestiaire et un couloir aux portes closes. La gérante du salon de massothérapie, une femme dans la quarantaine prénommée Josée, se précipita à leur rencontre. Mélane lui dit quelques mots à l'oreille. La propriétaire serra le bras de sa rabatteuse avec un sourire ravi, débarrassant du même coup la nouvelle venue de son gros sac à dos aux coutures distendues.

— Alors, ma belle Chinoise! Mélane t'a parlé un peu de notre... travail! Qu'est-ce que tu en dis? Pour commencer, tu serais réceptionniste. Pour que les clients te voient... Ils veulent toujours la nouvelle! Mais on va les faire patienter. Joue-la très ingénue, de toute façon, avec ta belle petite face de geisha, ils vont faire la queue devant la porte, ça ne sera pas long! Ha! Ha! Ha! Euh... t'es majeure au moins?... Oh! *Good!* Tu fais plus jeune, c'est bien! Bon, comment tu veux t'appeler?

La question prit Suzie-Kim au dépourvu. Tout allait trop vite! Elle voyait des hommes entrer et sortir du salon, accueillis par des filles toutes vêtues du même sarrau blanc. Et tous les clients, sans exception, posaient déjà un regard lubrique sur cette inconnue aux yeux bridés.

Devant son silence, la propriétaire du salon décréta que, si elle avait déjà eu une ancienne miss Québec comme employée, elle pourrait bien avoir maintenant sa Miss Orient!

— On s'ouvre à l'international! s'esclaffa-t-elle.

Pour sa part, Suzie-Kim trouvait que ce surnom sonnait bien, et lorsque Josée lui fit part du salaire des débutantes, elle accepta sans hésiter d'aller se dévêtir et de cintrer son corps dans une de ces blouses un peu revêches. Mélane était déjà partie préparer sa cabine pour un client. La patronne apprit à Suzie-Kim les rudiments du métier: répondre au téléphone d'une voix douce et engageante, répondre aux questions avec diligence. Si on demandait les prix, on répondait qu'ils étaient déterminés en fonction des services demandés, mais on ne précisait rien de plus!

— Manquerait plus qu'un journaliste ou un policier en civil fasse enquête! s'exclama la propriétaire. On ne donne pas vraiment de rendez-vous, à moins que le client exige une fille en particulier. Les horaires sont dans l'agenda, on ouvre à sept, pis on ferme à onze. Comme ça, on reçoit la clientèle qui vient commencer la journée en beauté jusqu'aux malchanceux de fin de soirée qui ont besoin d'un peu de réconfort, en passant par les pressés qui veulent agrémenter leur heure de dîner! En respectant ces heures-là, le va-et-vient ne dérange pas trop les voisins et comme nos clients sont habitués à être discrets, on n'a jamais de plaintes!

Ah oui! Si la personne qui appelle insiste pour connaître précisément nos services, tu dis les affaires habituelles: massage de détente, massage des pieds, massage suédois, tout ce qui te passe par la tête. La maison détient un permis racheté à l'ancienne propriétaire. Alors, si on demande son nom, tu dis le nom qui est écrit sur ce permis encadré. *Right?...* Je te paie *cash* chaque soir. Comme ça, tu pourras aller t'inscrire au *BS* pareil... Es-tu prête à commencer?

Éberluée, Suzie-Kim avait accepté le tournant radical qui s'offrait à elle, d'autant plus que Josée lui offrait gentiment de l'héberger pour quelque temps.

— Je loge à l'étage au-dessus! C'est commode, non? Tiens, voilà ma clé, va porter ton bagage, prends ton temps et reviens me voir lorsque tu seras prête à commencer!

Les jours suivants, elle s'était fort bien tirée d'affaire comme réceptionniste et avait dû repousser les avances pressantes de plusieurs clients. Et surtout, c'est dans ces modestes locaux qu'elle avait développé sa passion pour les flacons de parfums. Un client de longue date, monsieur Pépin, était acheteur pour le rayon parfumerie chez Ogilvy. Il adorait gâter ses masseuses préférées en leur offrant un flacon du plus récent jus issu des grandes parfumeries européennes. Plus encore que par les odeurs, Suzie-Kim s'était éprise des courbes, des teintes et de l'incroyable diversité des contenants.

* * *

Mélane et Suzie-Kim sortaient souvent ensemble après leur quart de travail. L'Asiatique n'avait jamais pensé lui demander où elle habitait; elle supposait que, comme plusieurs de ses nouvelles collègues, elle *squattait* plus ou moins la maison de ses parents ou partageait un petit sous-sol mal éclairé avec un colocataire, où un propriétaire véreux acceptait parfois des paiements de loyer «en nature».

Un jour, Iza, une masseuse occasionnelle, l'avait invitée chez elle pour dîner. Elles se connaissaient peu, mais Suzie-Kim appréciait son énergie et son rire communicatif. Surtout, elle était curieuse de voir son appartement, car elle ne donnait que quelques heures par-ci par-là au salon, et publiait tous les jours des annonces dans les journaux pour offrir ses charmes. Même à Noël! «Surtout à Noël! C'est payant!»

— Tu sais pourquoi il faut mettre des annonces chaque jour? lui avait-elle confié un jour. Un homme qui veut se payer une escorte ne laissera pas traîner mon numéro de téléphone dans ses affaires et prendre le risque que sa femme le trouve! Il sait qu'il n'a qu'à ouvrir le journal pour me retrouver! Ces annonces me coûtent la peau des fesses, mais ça en vaut la peine!

Honnête, Iza spécifiait dans son texte qu'elle était belle et ronde. Belle, ronde et sucrée, aurait-elle pu ajouter. Elle s'aspergeait du parfum *Angel*, laissant derrière un sillage chocolaté, qui éveillait la gourmandise de ses clients. Et oui, elle portait quelques kilos en trop autour des hanches, mais son buste impressionnant et sa robe ultra-moulante devaient distraire le client de ce léger détail! Lorsque Iza lui mentionna qu'elle avait deux enfants de l'âge de Suzie-Kim, cela impressionna beaucoup l'Asiatique, qui avait toujours plus ou moins assumé que les escortes étaient toutes jeunes et *sexy*.

— Ils ont un peu honte de leur mère, admit la femme, mais ce n'est plus de leurs affaires. Ils sont autonomes maintenant!

À peine sur le pas de la porte d'entrée du studio, la jeune Chinoise remarqua le dénuement du petit appartement. Iza lui proposa d'emblée soit un café, soit du vin. Elle lui avoua être un peu barbouillée de la veille.

— Tu sais, j'ai beau faire ce métier depuis longtemps, lorsque j'attends un client que je ne connais pas, j'ai toujours mal au ventre. Alors, je me calme avec un peu de vin, mais finalement, hier, le gars était très bien. Et très beau aussi! Ça a été un vrai plaisir! Je n'ai même pas eu besoin de lui suggérer de prendre une douche... Tu l'aurais aimé, il sentait bon! Après, il a pris un verre avec moi. Il est marié, comme la majorité de ceux qui viennent me voir... J'comprends pas ça, moi, les femmes qui ne veulent plus faire l'amour après deux ou trois enfants! En tout cas, si j'avais un homme comme lui dans ma vie, je lui ferais toutes les cochonneries qu'il veut, tu peux en être sûre!

Elle avait éclaté d'un grand rire. Puis, soudain sérieuse, elle avait ajouté:

— Une fois, il y en a un que j'ai vraiment aimé. On sortait ensemble, mais je n'osais pas lui parler de mon métier. Un soir, j'étais partie aux AA et il a fouillé dans mes affaires. Il a trouvé mon petit journal dans lequel je répertoriais certains de mes clients avec leurs petites manies. Je ne l'ai jamais trompé, mais les hommes ne comprennent pas ça.

Le téléphone n'avait pas dérougi de toute la période du dîner! Sidérée, Suzie-Kim écoutait Iza répéter inlassablement son laïus d'un ton plus bas que son timbre normal. Ses mensurations, la couleur de ses yeux et de ses cheveux, ses restrictions — «J'offre un service complet, mais je ne fais pas d'anal» — et enfin, son tarif non négociable. L'entretien expéditif se terminait toujours par le nom de son quartier et elle prenait en note le prénom du client qui, presque chaque fois, promettait de rappeler.

— Il va appeler toutes les filles qui ont mis une annonce dans le journal, expliqua-t-elle à Suzie-Kim. C'est certain qu'il y en a qui *chargent* moins cher que moi, mais les clients n'y vont qu'une fois. Ils n'y retournent pas. Souvent, ces filles ont des appartements minables, pas propres. Moi, je les reçois comme des rois! Viens voir ma belle chambre!

Un peu gênée devant l'enthousiasme de l'escorte, la jeune masseuse n'avait su quoi dire en entrant dans la pièce lavande, chichement meublée d'une commode et d'un matelas à même le sol. Cloué sur le mur, un voile disposé comme une grande pointe aux coins légèrement arrondis formait une sorte d'arabesque. «Mon lit à baldaquin!» s'était exclamée Iza avec fierté.

Le téléphone avait encore une fois interrompu la conversation. Après un moment, la femme avait raccroché en riant à gorge déployée.

— Il s'appelle Tony, celui-là! On va manger de l'italien ce soir!

Puis, avant que Suzie-Kim reparte au salon de massage, la belle lui avait dit avec une joie tout enfantine:

— J'ai quelque chose pour toi! Ferme les yeux et donne-moi ta main!

Le flacon étoilé était reconnaissable au toucher, même les yeux fermés. La bouteille d'*Angel*, impeccablement nettoyée, pouvait maintenant figurer dans la collection naissante de la jeune femme. Insaisissable Iza!

*   *   *

De fil en aiguille, Josée avait appris quelques bribes de l'enfance dorée de Suzie-Kim. L'exaltation de ses parents lors de leur retour de la Chine, sa chambre aux murs tapissés de signes encrés, les livres de contes en chinois et sa mère qui inventait des histoires d'après les images; les repas à jouer à attraper le grain de riz avec les baguettes... tout pour respecter ses origines. Sa mère, qui la bichonnait, qui lissait inlassablement ses cheveux noirs avec de l'huile de camélia, son père qui la complimentait, qui la promenait fièrement dans les magasins, qui l'amenait souvent avec lui pour distribuer le courrier et qui lui promettait un voyage en Chine pour ses 12 ans... Et cet amour qui les liait, un amour indestructible, une enfance dans une maison pleine d'amour !

En raison des brusques accès de mélancolie et des cauchemars qui perturbaient le sommeil de la jeune fille, Josée devinait que ces récits idylliques appartenaient au passé.

Chaque matin, à l'heure où la jeune femme devait officiellement partir pour l'École de secrétariat, sa mère téléphonait, histoire de s'assurer qu'elle était vêtue en fonction de la température du jour, de s'enquérir de ses progrès scolaires et pour connaître les gens qu'elle côtoyait.

Ainsi s'écoulaient les journées, de mensonge en mensonge. Suzie-Kim brodait sa réalité inventée, Josée n'osait rien demander de plus. Elle avait déjà bien assez de son commerce à gérer, et malgré une mère atteinte psychologiquement, et un père vraisemblablement absent, Miss Orient était efficace, professionnelle et rentable.

Le jour de son anniversaire, Josée avait fait cadeau à Suzie-Kim d'un livre révélant les secrets de beauté des Asiatiques. Elles se firent des masques, pratiquèrent des exercices de relaxation et s'endormirent dans des bains où flottaient des écorces d'agrumes ou des branches de sapin. Ensemble, elles s'amusèrent à concocter une infusion de ginseng avec du gingembre et du miel et Miss Orient en offrait le matin aux clients qui devaient attendre. Réticents au début, ceux-ci finirent par apprécier l'attention et surtout, l'énergie qu'ils ressentaient ensuite !

Lorsque Suzie-Kim se mit à poser des questions plus techniques aux autres masseuses, Josée jugea qu'elle pouvait l'initier aux rudiments du métier.

— Tu commences toujours par suggérer au client de se coucher sur le ventre. Déjà, si tu l'enjambes et que tu t'assois sur ses fesses (c'est pas pour rien que les tables sont basses!), tu peux lui masser la nuque et le derrière des oreilles en te penchant sur lui. Quand tu te sentiras plus à l'aise, tu pourras faire ça en sous-vêtements ou même sans soutien-gorge, tu vas voir que le pourboire va monter en flèche s'ils sentent tes mamelons se promener sur leur dos! Utilise toujours la meilleure huile à massage. Masse bien les épaules, puis descends jusqu'à la naissance des fesses. Si tu fais de lentes rotations comme ça avec tes mains, tu vas le calmer parfaitement et tu vas le sentir se détendre.

La femme lui fit un clin d'œil coquin.

— Et là! Alors que sa vigilance est endormie, tu te places sur le côté de la table et tu passes rapidement sur les fesses pour aller lui masser les cuisses, puis les mollets. Descends très bas et remonte très haut, lentement et surveille bien ses bourses. Lorsque le scrotum commence à gonfler, il est temps de lui suggérer de se retourner sur le dos! Après, c'est à toi de voir jusqu'où tu veux aller!

*   *   *

Passé: été 2003

En ouvrant le salon de massage ce matin-là, Miss Orient avait entendu un message de Mélane sur le répondeur. D'une petite voix méconnaissable, elle annonçait qu'elle devait s'absenter quelques jours, car elle s'en allait subir un avortement.

Surprise que la pétillante jeune femme n'ait soufflé mot de sa mésaventure avant ce jour, Suzie-Kim avait demandé à Josée l'adresse de Mélane en se promettant de lui rendre visite dans la journée. Elle lui devait bien cela, car c'était celle qui lui avait toujours apporté un soutien indéfectible, la défendant devant certaines employées inquiètes qui redoutaient de perdre une partie de leur clientèle le jour où la patronne assignerait une cabine à cette réceptionniste exotique!

Dans le taxi qui la conduisait chez Mélane, Suzie-Kim s'était souvenue de leur dernière incursion dans leur bar préféré, quelques jours auparavant...

*   *   *

Ce jour-là, la patronne les avait prévenues que le samedi suivant, elles seraient envoyées avec d'autres filles dans un *party* privé d'hommes d'affaires, en congrès dans un gros hôtel du centre-ville. Un sous-ministre devait même être de la partie! Ce serait une bonne occasion pour Miss Orient de démontrer son savoir-faire. Josée avait insisté sur l'importance de s'habiller avec classe, bien qu'elle ignorât l'âge moyen des congressistes. Elle savait que ce genre d'invitation était très payant pour son commerce, et que les filles risquaient d'en retirer d'intéressants pourboires. L'homme qui avait fait la réservation avait demandé dix filles bilingues, les plus belles et les plus cochonnes. Miss Orient, Candy (Mélane), Melody, Jenny et Stéphanie feraient honneur à son établissement! Une Orientale toute menue pour l'exotisme, une blonde sensuelle et expérimentée, une brunette explosive avec des seins défiant la gravité, une lolita diaphane pour le pédophile inavoué et une longiligne latino, sosie de Jennifer Lopez. La patronne se frottait les mains d'avoir, cette fois, un aussi bel éventail à leur proposer! Elle avait ensuite écumé son carnet téléphonique pour trouver d'autres perles rares aux mœurs débridées, pour honorer ce contrat lucratif. Elle tenta sa chance chez Bianca la dominatrice, toujours populaire dans un aréopage de dirigeants, puis au Lingot d'or, au cas où.

Josée se souvenait douloureusement d'un certain soir où elle avait dû, seule, satisfaire cinq Albertains en mal d'exotisme québécois, qui l'avaient accueillie en brandissant la cassette vidéo du film : *French Pussies*. Depuis, elle ajoutait une condition au contrat : pas de violence. Bien sûr, il faudrait trouver une excuse pour Chloé, qui serait frustrée de ne pas avoir été choisie, mais l'homme avait bien stipulé : *No junkies*.

Suzie-Kim et Mélane avaient commandé une bière en discutant de ce contrat. Ni l'une ni l'autre n'avait encore eu l'occasion de remplir ce genre d'obligation, même si Mélane avait accumulé pas mal d'expérience en massages. Suzie-Kim se sentait plutôt curieuse et excitée, d'autant plus qu'au cours de ses brèves expériences amoureuses, elle avait senti en elle un potentiel érotique assez prometteur. Quant à Mélane, elle était convaincue qu'hommes d'affaires ou pas, ils n'auraient aucun égard pour elles. D'ailleurs, n'était-il pas de notoriété publique que la plupart du temps, tout ce que les hommes voulaient, c'était des fellations et regarder des filles ensemble ? Suzie-Kim objecta qu'elles pourraient mettre de la musique, et même danser avec eux. Elle pourrait se déguiser en geisha. Après tout, c'était une invitation pour un *party*! Déjà, à l'idée que des hommes étaient prêts à payer pour la regarder se trémousser, l'Asiatique se fichait bien du reste. Mélane semblait préoccupée et soudainement, demanda à son amie si elle l'avait déjà «fait» avec une autre femme. Suzie-Kim hocha la tête.

— Ah bon ? Et c'est comment ?

— Doux. Bon. Tendre. Très doux, en fait... Et tellllllllllllle-ment bon!...

Intriguée, Mélane resta un moment à absorber ces petits mots évocateurs.

— Tu veux me parler de ta première fois ?

Friponne, l'Asiatique tenta de changer de sujet en se dirigeant vers un imposant *juke-box*. Le barman leva les yeux au ciel pour les faire rigoler. Ce soir encore, elles se déhancheraient en riant sur des airs d'Elvis Presley ou chanteraient à tue-tête avec Aretha Franklin jusqu'à ce que le barman soit obligé de leur signaler qu'il était l'heure de fermer. En autant qu'il n'ait pas à jouer les *bouncers* et défendre les filles contre les ivrognes aux esprits échauffés...

Contre toute attente, ce soir-là, Mélane ne suivit pas son amie sur la piste de danse et Bill Haley termina tout seul son sempiternel *Rock around the clock*.

Comprenant que Mélane désirait vraiment des détails, Suzie-Kim revint vers elle.

— Tu sais, dit-elle, j'ai un souvenir fantastique de ma pre-mière... et dernière fois! En fait... je ne savais rien d'elle ni qu'elle était...

La jeune femme se tut subitement, passant un doigt distrait sur le rebord de son verre de bière. Mélane ne s'attendait pas à voir perler une petite larme au coin de l'œil de Suzie-Kim!

— Je... excuse-moi, je ne voulais pas te faire de peine...

La Chinoise serra les lèvres, respira à fond, puis esquissa un sourire misérable.

— En 2001, j'avais décidé de m'offrir un temps des fêtes seule, sans ma mère. Sans entrer dans les détails, disons que pour elle, depuis la mort de mon père, c'était toujours une période difficile et j'étais en pleine rébellion contre toute auto-rité, alors... Bref, j'avais sous la main un journal qui datait de plusieurs semaines (tu sais comment je suis bordélique) et donc, j'ai téléphoné au hasard dans un gîte dont j'avais la petite annonce. Il y avait un beau petit dessin imprimé, représentant une jolie maison, et c'est probablement pour cela que je l'ai choisi. L'homme qui m'a répondu m'a dit qu'il n'avait aucune objection à m'accueillir, sauf qu'il avait à s'absenter le 25 décembre pour une partie de la journée. J'étais tellement contente! Le 24 décembre, j'ai fait mon petit bagage en n'oubliant pas mes raquettes, et sans remords, j'ai laissé ma mère seule pour Noël. Pour la première fois de ma vie ! Arrivée au village, je suis entrée dans le dépanneur qui faisait office de gare d'autobus et le commis (un très beau gars, soit dit en passant !) a gentiment accepté d'appeler son père, le seul chauffeur de taxi du coin. Nous avons roulé une dizaine de minutes vers le nord du village et tout à coup, au sortir d'une longue courbe, j'ai vu apparaître la plus merveilleuse des maisons de campagne ! Fidèle au petit dessin que j'avais au fond de ma poche. Toute blanche et bleue, avec une longue galerie enneigée, illuminée de loupiotes blanches, un petit balcon, surmonté d'une corniche, sculptée comme de la dentelle à l'étage au-dessus... avec une petite grange et des champs immaculés en arrière-plan... c'était une vraie carte postale ! Le chauffeur de taxi me regardait du coin de l'œil, on voyait qu'il s'attendait à ma réaction. Je faisais des *Oh!* et des *Ah!* comme une fillette ! Il m'a raconté que c'était une des plus belles maisons du village et que c'était là un gîte extrêmement couru à la belle saison. Il m'a vanté les mérites du propriétaire, qui voyait à tout, qui élevait de petits animaux et cultivait son propre potager. Je ne me suis même pas posée de questions sur cet hôte mystérieux, on aurait dit qu'un homme capable d'une telle féerie devait être foncièrement bon.

Les yeux de Suzie Kim brillèrent.

— Crois-moi, Mélane, j'aurais voulu déménager là-bas pour toujours, immédiatement !

Elle prit une gorgée, laissant son amie méditer cette surprenante révélation. Suzie-Kim à la campagne ?... Elle sourit, lui rétorquant que cela ressemblait à un titre de livre pour enfants. Encouragée à la confidence, la jeune fille poursuivit d'un ton exalté.

— J'étais tellement excitée que je n'avais pas remarqué qu'une voiture nous suivait et qu'elle s'était garée juste un peu plus loin. J'ai gravi les marches du perron comme si j'allais rendre visite à une grand-maman! J'ai sonné et comme le propriétaire venait ouvrir, j'ai senti une présence derrière moi. Mélane! Comment te dire ça?... Tu sais comme je suis forte en parfum! En une seconde, j'ai été envahie par une odeur à la fois marine et boisée, que je pouvais identifier mais... qui me paraissait comme... *distorsionnée!* Et, même pas par des traces de fumée de cigarette ou de sueur, non! Une odeur franche! Spontanément, j'ai tenté: «*Kenzo?*» et je me suis retournée. «Pour homme!» a répondu la fille en souriant, l'index levé. Ah! Je l'ai trouvé... tellement belle et... eh oui, désirable! Elle avait de longs cheveux flamboyants remontés en une torsade lâche et de petites mèches plus pâles qui s'élançaient dans toutes les directions, en formant de petits tourbillons autour de son visage. Elle avait les yeux bleus comme le ciel, avec une petite touche de turquoise lorsqu'elle se tournait vers la lumière... Le visage ovale, pur, une peau ivoire constellée de petites taches de rousseur... et sa bouche! Si bien dessinée! D'un rouge naturel très doux... Et un mignon petit nez en trompette!...

Un peu troublée par cette description passionnée, Mélane tenta une blague que n'entendit pas son amie.

— Elle était tellement calme et sereine! poursuivit Suzie-Kim. Mais avec quelque chose dans les yeux... j'ai fondu! Imagine, j'ai eu le temps d'enregistrer tous ces détails en une fraction de seconde, le temps que le propriétaire, tout sourire, me regarde en disant: «Ah! Vous avez amené une amie?» Je suis restée bouche bée, et c'est elle qui a éclaté de rire. «Eh bien non, a dit la belle inconnue, je pense que nous sommes arrivées en même temps. Moi, c'est Lorenne, un *E* deux *N — E*. J'ai téléphoné ce matin.» Elle a tendu la main au propriétaire du gîte, qui se souvenait de l'avoir taquinée sur cette drôle d'habitude qu'elle avait d'épeler son prénom.

«Moi, c'est Louis-Michel. Et vous, Suzie-Kim?» Je fis signe que oui, je serrai sa main et je captai du coin de l'œil le regard espiègle de Lorenne, qui semblait bien s'amuser de la situation. Louis-Michel nous laissa admirer sa belle cuisine aux petites planches jaunes comme du beurre et nous indiqua du doigt une petite porte que j'avais prise pour un garde-manger. Il habitait juste derrière! Droite comme un piquet, paralysée par l'odeur incroyablement sensuelle de Lorenne, je me suis contentée de faire un tour sur moi-même, pendant que le propriétaire pérorait sur la décoration de sa maison. Je me sentais vraiment intimidée par cette fille. Elle avait un je-ne-sais-quoi!...

— Comme Mary? l'interrompit Mélane en rigolant.

Suzie-Kim sursauta, comme si elle revenait de loin.

— Euh... qui? Mary qui?

— Tu sais, Mary, comme dans le film: *Mary a un je-ne-sais-quoi?*... Ah, laisse tomber! Alors, cette Lorenne, ce fut elle, ta conquête?

Suzie-Kim eut une saute d'humeur.

— Tu vas trop vite! Je veux d'abord planter le décor! Alors, euh... où j'en étais?... Ah, le gîte! Tellement craquant! Une maison de poupée! La salle à manger vitrée, les sapins dehors, le feu dans le foyer, les gros fauteuils dépareillés, des magazines partout! Et il y avait même un piano droit, tu sais le genre de piano qui fonctionne avec des pédales et dans lequel il faut mettre des rouleaux?... Louis-Michel en avait toute une collection! J'ai joué *Rhapsody in blue*, c'est impressionnant! Ça ne paraît pas, mais c'est fatigant, jouer du piano mécanique!

Mélane ne connaissait pas la fameuse rhapsodie, n'avait par ailleurs jamais vu ce genre de piano et ne voyait vraiment pas en quoi le fait d'en jouer pouvait s'avérer fatigant. Néanmoins, elle commençait à s'intéresser à cet endroit si accueillant. Elle s'y voyait presque! Elle fit alors signe au serveur, qui apporta deux autres bières. L'Asiatique enchaîna avec enthousiasme.

— Nous avons monté un bel escalier à la rampe sculptée et Louis-Michel nous a annoncé que nous avions le choix des chambres, étant les seules invitées pour la période des fêtes! Ah Mélane! Si tu avais vu ça! Des pièces toutes plus mignonnes les unes les autres, chacune portant le nom de la couleur de ses murs! Pendant que Lorenne les visitait, je me suis dépêchée de monter au grenier. Le proprio a mentionné que ce dernier était fraîchement rénové. Immédiatement, j'ai eu le coup de foudre pour une chambre minuscule, au toit pentu, aux murs bourgogne, avec de la dentelle à la lucarne, et un vrai lit de princesse! Écoute, Mélane, je pensais que j'étais arrivée au paradis!

L'intéressée commença à se tortiller sur son tabouret de bar. Les clients se dispersaient progressivement et la masseuse désespérait d'entendre quelques détails affriolants.

— Louis-Michel a demandé si nous aimions le feuilleté de saumon, car c'est ce qu'il avait prévu pour le souper et Lorenne et moi avons crié «oui!» en même temps. J'ai sursauté, elle était juste derrière moi! J'avais peur qu'elle se rende compte à quel point j'étais troublée! Je te jure, figée comme un chevreuil devant une voiture, incapable de détacher mes yeux de ceux de cette belle rousse! C'est elle qui a brisé la magie en remarquant que, manifestement, cette chambre me plaisait et qu'elle allait prendre celle juste en face, la vert menthe.

Mélane avait maintenant les yeux dans le vague et laissait sa bière tiédir sur le comptoir. La jolie blonde soupira:

— Je n'aurais pas cru qu'une fille — et une maison! — puisse te faire autant d'effet! Tu viens dehors? J'ai besoin de fumer.

Suzie-Kim opina de la tête en ramassant ses cigarettes et se leva en décrétant qu'elle en avait assez dit. Mélane tapa sur le comptoir du plat de la main, feignant l'indignation d'avoir été victime d'une telle ellipse! Elle la tira par le bras sur le pas de la porte du bar et elles s'allumèrent une cigarette.

— Ah! Non, ma vieille, tu ne t'en tireras pas comme ça! Tu m'as fait faire un tour du propriétaire digne de *Décor magazine*, ça m'a l'air d'un endroit tout à fait enchanteur et je brûle d'envie d'y aller, mais bon! Ensuite? Tu la trouves belle, tu lui plais, et alors? Comment ça se goupille tout ça, entre filles?

Suzie-Kim lui fit des yeux rieurs et la disputa pour la forme.

— Tu es trop curieuse! Laisse-moi juste te dire que c'était bon!

— Espèce d'allumeuse! Tu m'as accrochée comme une truite au bout d'un hameçon et tu voudrais maintenant que je te dise que je vais imaginer le reste? Comprends-moi, ma Chinoise! Je n'ai jamais été avec une fille, et j'ai peur qu'à ce fameux *party*, on nous demande de nous «minoucher»... Je ne sais pas comment je vais y arriver! Alleeeeeeez raconte! Qu'au moins j'aie un peu hâte à ce qui nous attend!

— Eh bien... après une bonne sieste et une douche, je me sentais beaucoup mieux, presque convaincue que j'avais imaginé tout ça, cette attirance... Je me sentais tellement à l'aise dans ce joli décor que j'ai enfilé un pyjama, et gardé mes cheveux humides, entortillés dans une serviette.
Louis-Michel était dans la cuisine et à peine arrivée en bas de l'escalier, il m'a offert un verre de vin blanc frais. Je voyais Lorenne de dos, les cheveux relevés encore plus haut sur sa nuque claire. Elle s'est penchée pour prendre sa coupe de vin sur la table du salon juste au moment où je cherchais des yeux l'endroit idéal où m'asseoir. Lorenne s'est levée pile comme j'allais passer devant elle. Mélane... comment pourrais-je te décrire?... C'était dans ses yeux, Mélane! Elle m'a regardée comme... comme un homme! Avec des yeux d'homme! Imagine, mon pyjama, c'était une camisole de coton avec de fines bretelles et

un pantalon de flanelle sur lequel il y avait des petits chats. Plus «pantoufles» que *sexy*, tu vois? En descendant, j'avais senti une petite fraîche, comme on dit. Je savais que mes seins pointaient et je me suis dit que j'aurais peut-être dû enfiler le gros peignoir qui était suspendu derrière la porte de ma chambre. Mais le verre de vin... tout s'est enchaîné vite et... Elle m'a détaillée de haut en bas, puis son regard s'est arrêté sur mes seins avec un air tellement... Elle les fixait sans détour! Sans paraître gênée ou mal à l'aise... Tu imagines bien que j'étais embarrassée! Elle s'est raclé la gorge et a dit avec une drôle de voix sourde que c'était beau ce que je portais! Je te **jure**, Mélane, on aurait dit que ses **yeux** étaient des **mains** et qu'elle me caressait les seins! Moi qui trouve toujours ma poitrine trop petite, je la sentais se soulever vers elle, comme si elle grossissait, je sentais mes pointes s'étirer vers elle, je n'arrivais plus à penser!... En quelques secondes, j'ai senti une chaleur intense entre les deux jambes... Je suis restée plantée là, devant elle, excitée au possible! Je devais être rouge comme une tomate! Louis-Michel nous a crié que c'était prêt et j'ai bondi vers l'escalier! Je suis redescendue avec les cheveux sur le dos et la grosse robe de chambre bien attachée!

Mélane et Suzie-Kim éclatèrent de rire, comme pour dissiper l'érotisme de l'atmosphère et revinrent au bar terminer leur bière.

— Le lendemain, j'ai dormi tard. Comme c'était Noël, j'ai croisé Louis-Michel qui allait, comme convenu, festoyer dans sa famille. Il avait déjà tout préparé le souper, il ne restait qu'à le faire réchauffer. Cet homme était incroyable! Il nous connaissait à peine et voilà qu'il nous confiait sa maison! Lorenne étant déjà partie faire du ski de fond, j'ai passé une partie de la journée à me promener sur le vaste terrain, toute contente, comme ça, pour rien! Il y avait si longtemps que je n'avais pas ressenti une telle paix! Il tombait une toute petite neige folle, le temps était gris, brumeux, c'était comme marcher dans un nuage. En revenant, près de la longue galerie, j'ai aperçu Lorenne secouant ses skis. Tout à coup, c'était comme si on venait de me soulever de terre! Elle était habillée comme à l'ancienne, avec une longue jupe épaisse et une veste de laine bouillie, comme les Autrichiennes en portent. Elle était si belle avec ses joues rougies et sa tuque verte, ornée de petits sapins rouges! On aurait dit que j'étais contente, juste d'être encore toute remuée par sa présence, de voir ce même plaisir dans ses yeux! Dès notre entrée dans le gîte, tout naturellement, elle s'est comportée en maîtresse de maison en offrant de nous faire des chocolats chauds. Le temps que je me dépêtre de mes couches de vêtements, elle était à la cuisine en train de sortir les tasses et les soucoupes. Je me suis avancée pour offrir mon aide, je me sentais rouge comme une pivoine! Elle a hésité quelques secondes, m'a regardée intensément comme pour évaluer mon trouble et le risque qu'elle prenait, puis elle m'a dit que j'étais vraiment attirante! Après, eh bien... je... je ne sais pas, elle s'est approchée, toujours les yeux plantés dans les miens, son odeur merveilleuse se euh... complexifiait? Ça se dit? Le parfum avec sa peau, j'en ai perdu la tête! Je suis comme... entrée dans ses bras, on s'est fondues l'une à l'autre, sa bouche était moelleuse, chaude, sa langue m'explorait avec une ferveur, une délicatesse... Un long baiser, plein de langueur et d'abandon! Je n'arrivais plus à penser, à me dire «voyons! c'est une fille!» tu comprends? J'avais la chatte brûlante, j'avais le corps entier qui suppliait, elle a dû le sentir, c'est sûr, parce qu'elle a étiré le bras pour éteindre le feu de la cuisinière.

Suzie-Kim ferma les yeux, la respiration courte, absente du lieu présent et concentrée sur ce souvenir intense. Mélane en était gênée. Elle n'avait jamais vu cette dévotion dans le visage de son amie.

Elle avait dû se pencher vers elle davantage, pour saisir la dernière phrase murmurée comme un secret.

— Nous avons volé dans l'escalier et nous sommes entrées dans la première chambre, la Pêche.

L'Asiatique s'était tue brusquement et quand Mélane avait posé doucement sa main sur la sienne, Suzie-Kim avait sursauté, les yeux hagards.

— Le reste, je le garde pour moi.

La blonde, un peu dépitée de voir que finalement, l'attirance physique n'avait rien à voir avec un sexe ou un autre, l'avait remerciée pour cette confidence en lui décochant un sourire attendri et en l'assurant que ce récit l'aiderait à fantasmer en prévision du contrat.

* * *

Toujours dans le taxi bloqué par la circulation, Suzie-Kim se rappela avoir couru à perdre haleine jusqu'à l'appartement de la patronne, et de s'être dépêchée de prendre une douche fraîche pour se changer les idées. En vain. Malgré ses efforts pour dormir, son corps entier était resté tendu. Son esprit était retourné dans la fameuse chambre Pêche. Dès le lendemain, elle avait trouvé le moyen d'exorciser son souvenir : l'ordinateur.

* * *

Extrait du premier blogue :

Je m'appelle Miss Orient et je travaille dans un salon de massage. Aujourd'hui, j'ai décidé de commencer un blogue, qui va me permettre de m'extérioriser et de raconter les passages importants de mon existence. J'espère aussi que vous me poserez des questions, que vous me ferez vos commentaires ! Pour vous mettre en appétit, je vous confie ma première expérience avec une femme, à l'hiver 2001. [...]

Lorenne fait glisser par terre un gros collant gris et une petite culotte bleue. Sa jupe retombe trop vite pour que je lui voie les jambes. Elle se place derrière moi et commence à me déshabiller en même temps qu'elle retire son chandail. Elle s'arrête, souffle sur mon cou en descendant jusqu'à la lisière de mon col, laisse de longues minutes éprouvantes s'écouler. En sous-vêtements, je sens comme des doigts minuscules ou des petites langues qui me taquinent le dos, et tout à coup, je réalise que ce sont ses mamelons qui s'excitent en frôlant ma peau. Je suis tendue comme une corde de violon. Elle me fait étendre sur le lit, remonte sa jupe et m'enfourche.

Quelle vision extraordinaire! Ses cheveux roux qui accrochent la lumière et qui virevoltent juste au-dessus de ses seins blancs, comme des îles flottantes. Ses mamelons qui ressemblent à deux framboises déposées sur du satin, deux grosses framboises bien rouges et luisantes! Mon ventre fait mal... Elle descend son visage vers moi et frôle de sa joue mon soutien-gorge de soie... Mes seins vont exploser! Son parfum envoûtant me chavire! Je le sens encore!...

Je vous laisse, mes chéris, je sens un coquin besoin à satisfaire!

* * *

Passé: jeudi
Archives du blogue:

[...] My God! *Quel déluge de commentaires, mes amours! Je n'aurais jamais pensé que vous auriez autant soif de détails! Alors, voilà:*

Lorenne fait glisser la bretelle de mon soutien-gorge et écarte le tissu... Elle prend mon mamelon droit dans sa bouche, en l'enduisant de salive et en le fouettant avec sa langue! Avec son pouce et son index, elle fait rouler mon autre mamelon sans arrêt... sans arrêt... Jamais un homme n'a été si doux! Comme je la désire!

Je tourne la paume de ma main droite vers le haut et la ramène contre son mont de Vénus. Je ressens le côté rugueux du tissu de sa jupe, le renflement chaud qui épouse ma paume et en repliant lentement le majeur, je sens s'ouvrir un sillon sous l'étoffe. La coquine se retire un peu pour regarder ma culotte bien moite et ses yeux brillent lorsqu'elle voit mon clitoris poindre sous la soie.

Je tends les mains pour agripper ses cuisses nues sous la jupe, elle rapproche son sexe du mien et enfin! relève sa jupe bien haut, pour me laisser admirer sa vulve couverte de poils fins, couleur feuilles d'automne. Je remonte mes doigts vers cette bouche intime qui m'appelle si fort, mais elle me repousse gentiment, se lève debout et m'offre un court strip-tease en se débarrassant de sa jupe. Qu'elle est belle!

Elle s'agenouille à nouveau sur moi, frotte son sexe sur le mien; la soie de ma culotte est tellement mouillée qu'elle se fait un peu plus rêche et accentue sur mon clitoris cette pression démente... Ma belle amante oscille du bassin d'avant en arrière et me masturbe avec son pubis... Plus fort! Plus fort! Oui! encore un peu, encore! encore! Prise de frénésie, je me relève brusquement, je l'entoure de mes bras et tente de la renverser sur le lit! Emportées par son mouvement dansant, nous perdons l'équilibre et nous tombons sur le plancher, tête-bêche! Nos corps étroitement liés, sa fente lubrifiée à portée de ma bouche, mes oreilles douillettement calées contre ses cuisses et mon sexe exacerbé qui brûle... Ses cheveux chatouillent le creux de mes genoux, elle m'enserre les jambes de ses bras et s'emprisonne le visage contre ma vulve. Je l'imite et nous nous léchons avec ardeur; je ne sais plus si je jouis d'elle ou elle, de moi! [...]

* * *

Sans le savoir, ce fameux soir-là au bar, Mélane avait ouvert une boîte de Pandore. Les souvenirs avaient afflué à l'esprit de Suzie-

Kim des jours durant. Cependant, le plus cuisant revenait lorsqu'elle revoyait Louis-Michel souhaiter à Lorenne de revenir bientôt, et que celle-ci avait lancé qu'elle ne retournait jamais au même endroit, pulvérisant du même coup tout espoir de Suzie-Kim de la revoir. Elle venait de rencontrer une chasseresse.

Abattue, l'Asiatique était rentrée chez sa mère et avait dû se faire violence pour afficher tout de même une mine réjouie.

*   *   *

Passé : vendredi
Archives du blogue :
[…] Malgré vos abondantes demandes, c'est la dernière fois que je vous reparle de Lorenne ! D'accord ?

Épilogue, donc.

Plusieurs mois plus tard, été 2002… Troisième jour de canicule. Je ne m'endure plus, je dois changer de décor ! Je me rends à la gare : on annonce un prochain départ pour Québec. Par distraction, je descends au mauvais endroit. Je suis rapidement entourée de touristes, des Français, qui, eux aussi, se sont trompés. Je réalise que je suis arrivée en plein Festival d'été, lorsque je vois arriver un gros autobus maquillé en chenille. Avec des antennes et des gros yeux à la place des fenêtres avant, des «pattes» poilues recouvrant les roues, un poil synthétique vert et jaune qui lui donne une allure du tonnerre ! Le conducteur de la chenille, en pause syndicale, s'approche et s'informe de la destination réelle des touristes. Les Français ont tous réservé à l'hôtel Champlain, alors je ne dis rien et le chauffeur me croit avec eux. Il doit justement retourner dans le Vieux-Québec et nous offre de faire la navette. Nous constatons avec joie que le véhicule est climatisé.

Je me laisse emporter par les interjections ravies des visiteurs, lorsque nous longeons cap et fleuve, petites maisons ancestrales et rues étroites. Subitement, ce décor que je connais pourtant assez bien devient comme inconnu. Mes yeux remarquent des détails qu'on ne voit qu'en voyage. Et, comme eux, je m'exclame spontanément, sans réfléchir à l'incongruité de la chose.

D'une gentillesse extrême, le conducteur nous dépose à quelques rues de l'immense quadrilatère où se déroulent principalement les activités du Festival, juste devant un hôtel imposant : Le Champlain.

Je descends de la chenille le cœur léger. J'avais presque oublié l'effet que ça faisait, l'insouciance ! Au loin, des scènes gigantesques, des rues tapissées de foules, c'est l'attente fébrile avant le début des spectacles. Je marche le nez en l'air, vaguement tentée d'aller vérifier s'il reste une petite chambre pour moi dans ce bloc de pierres ancestrales. À peu près indifférente à la cohue colorée qui guide mes pas tout doucement, j'ai l'air probablement droguée avec ce sourire ravi sur le visage !

Le petit parc en face a été transformé en aire de pique-nique. Je me heurte la hanche sur le coin d'une table de bois. Déséquilibrée, j'y plaque ma main, mais j'y frappe une autre main. Comme dans un film au ralenti, ma nuque pivote, mes lèvres formulent une excuse, mon nez capte tout de suite... Kenzo. Pour hommes. ELLE ! Les cheveux presque rasés, sa tête bien ronde accentue ses traits amincis... Soulevée par une brutale vague de désir, je vacille. Un petit brouhaha attire l'attention des gens autour. On est en train de me remettre sur pied. Je crois que j'ai perdu l'équilibre. Elle est debout, prend mon bras. Elle chuchote : « Ça va ? »

Puis, à la ronde : « Ça va, je la connais, je m'en occupe ! »

Les badauds s'écartent, presque déçus que l'incident se termine dans la banalité la plus complète. Son bras entoure le mien, je marche comme une somnambule, nous ne parlons pas, comme si le moment était en cristal et qu'un souffle suffisait à le faire éclater !

[...] Vers le stationnement, un espace plus sombre, un « racoin », *comme on dit. À peine à l'abri des regards, la vie me revient d'un seul coup, comme une forte décharge électrique, et je la plaque fortement contre le mur bétonné, les bras levés, et je l'embrasse; nous nous embrassons, nous embrasons, nous embrassons encore et encore, comme une urgence de se reconnaître au-delà des yeux. Nos langues se rapproprient la bouche de l'autre, nos nez retrouvent les odeurs, nos joues se pressent, se frôlent, se caressent; les bras toujours levés, nous laissons nos visages fêter leurs retrouvailles.*

Si j'étais un homme, elle serait déjà galvanisée par la vigueur de mon érection! Je veux la posséder, lui faire subir les mêmes outrages que ceux qu'elle a imprimés dans ma chair, je la veux tout aussi bouleversée, abandonnée, je la veux! Je la veux!

Je ressens une force incroyable qui plaque mon bassin sur le sien, mes mains abandonnent ses poignets et plongent ensemble vers son fin chemisier qui ne résiste pas. Ses seins nus me tombent dans la paume et mes cuisses se contractent encore plus. Mon bassin se soulève contre le sien, nous bougeons ensemble, à travers la barrière de nos vêtements, nos pubis frottent l'un contre l'autre. Nous perdons le souffle et le reprenons dans la bouche de l'autre. Ses mamelons, divines framboises, roulent entre mes doigts. Je plonge mon visage pour les cueillir [...].

Derrière nous, une voix de jeune garçon, surexcitée.

«Maman! Maman! T'as vu les filles? Elles se lutinent!»

Des murmures étouffés d'indignation frôlent mon dos; je devine qu'on traîne l'enfant par le bras.

Woushshshshshsh! Brutal retour dans la réalité! Lorenne plonge son regard fou dans le mien. De toute la simple phrase qu'elle articule, je ne retiens qu'un seul mot, sida, mot mortel de quatre lettres, la peste d'amour. Elle allait bientôt nous quitter pour toujours! La foule l'avait déjà ravalée lorsque j'ai trouvé la force de hurler son nom.

[...]

«Si», «da», deux mots, qui, chacun dans leur langue, signi-fient «oui». Oui, oui, aime-moi jusque dans l'au-delà!

* * *

Passé : été 2003

Suzie-Kim avait émergé de ses souvenirs et remarqué soudai-nement que le taxi s'était éloigné des familières artères com-merciales bordées de magasins à un dollar, de boutiques de vêtements usagés et d'usuriers, et que les édifices de béton avaient cédé le pas aux vieilles maisons en pierre, aux arbres matures et aux rues calmes! Comme elle en avait si souvent rêvé!

Elle avait vérifié de nouveau l'adresse griffonnée sur un papier par la patronne.

Une dame âgée avait ouvert la porte de l'imposante pro-priété. Suzie-Kim, impressionnée par l'environnement et trou-blée par l'air accablé de la vieille dame, avait bredouillé :

— Je viens voir Mélane, c'est bien ici?

La dame avait marmonné que Mélanie (elle avait insisté sur le *i*) était couchée et qu'elle ne voulait voir personne. Interdite, Suzie-Kim avait demandé à ce qu'on l'avise de sa visite et avait vu la porte se refermer sans un mot de plus.

D'un pas mécanique, elle avait remonté la rue bordée d'éra-bles et juste au coin, avait aperçu l'affichette écrite à la main, dans la porte vitrée d'une immense maison à logements.

Chambre à louer, sonnez au 17.

La jeune fille était restée sans bouger pendant de longues minutes, laissant aux mots le temps de se frayer un chemin dans son esprit embrumé. Puis, juste pour voir, juste pour avoir un prétexte pour entrer dans une de ces élégantes maisons,

Suzie-Kim avait sonné au numéro 17. Le logement spacieux aux planchers de bois, situé au quatrième étage, était depuis longtemps habité par deux dames énergiques, Denise et Charlotte, qui officiaient également comme concierges de la maison. Leur défunte mère avait occupé la chambre jusqu'à tout récemment et le coût des loyers avait poussé ces dames à chercher quelqu'un pour l'occuper de nouveau. Une autre femme, pour sûr! Aucune envie de voir traîner des poils de barbe autour de l'évier de la salle de bains ou pire encore!

C'est ce que Denise expliquait à Suzie-Kim lorsque Charlotte intervint.

— Vous savez, nous n'avons pas vraiment l'expérience de vivre avec une personne inconnue, alors nous ne savons pas encore à quoi nous attendre. Vous ne fumez pas, j'espère? Je fais de l'asthme, malheureusement!

Puis, sans lui donner le temps de répondre, Charlotte enchaîna sans ambages:

— Vous faites quoi, dans la vie?

Suzie-Kim leur affirma être étudiante en massothérapie (ce qu'elle supposait être au plus près de la vérité)...

Un éclair passa dans les yeux de Charlotte, la plus âgée des deux.

— Tu sais, mon dos me fait horriblement souffrir! Si jamais tu as de la difficulté à payer ta chambre, tu pourrais me masser et cela serait déduit de la somme due!

Denise lança à Charlotte un regard vaguement scandalisé. Néanmoins, Suzie-Kim s'empressa de mentionner qu'elle effectuait présentement un stage rémunéré et qu'elle pouvait déjà leur régler un mois de loyer.

Des cours se donnant au centre-ville et une mère habitant la campagne; voilà les explications que Suzie-Kim donna et qui suffirent aux deux concierges. Elles ouvrirent grand la porte de la chambre et une subtile odeur de cire à planchers titilla les narines de l'Asiatique. L'aménagement vieillot avait un petit quelque chose de rassurant, qui lui rappelait presque... le gîte! Une courtepointe, touchante de naïveté, une commode de chêne ainsi qu'une «coiffeuse», une vraie, avec le petit siège bleu ciel, rembourré, glissé sous le meuble, juste entre deux rangées de petits tiroirs à trésors!... La fenêtre, voilée de dentelle, était très haute et étroite, et un arbre cachait partiellement la grosse maison d'en face.

Comme c'était une très vieille propriété, les dames lui spécifièrent les consignes de sécurité, surtout pour la cuisine. Par exemple, tenter de brancher à la fois la bouilloire et le grille-pain ferait à coup sûr sauter un fusible! Le plafonnier ne devait accueillir que trois ampoules de 40 watts, mais depuis longtemps, on avait renoncé à la troisième, constamment grillée par le système électrique. Ce qui donnait à la cuisine un petit air intimiste et romantique lors des beaux jours et tristounet, les journées sombres.

Suzie-Kim venait de trouver l'explication aux dizaines de bougeoirs qui traînaient dans toutes les pièces.

— Tu sais te servir d'un poêle au gaz?... s'informèrent les deux soeurs.

Avec ce déménagement qui s'amorçait, le quotidien de l'Asiatique changeait encore une fois. Suzie-Kim se questionnait sur cette nouvelle direction que prenait sa vie; quel sens faudrait-il attribuer à ce changement? Elle s'imaginait parfois dans un gigantesque labyrinthe. C'est aussi à cette époque que Suzie-Kim commença à faire un rêve étrange, un rêve dans lequel figurait un serpent, un rêve qui se construisit, se définit, au fil de son existence...

* * *

Cette journée-là, en fin d'après-midi, Miss Orient eut l'impression d'être plongée au cœur d'une tornade, dès son retour aux «Mains de fée». La propriétaire était débordée, le téléphone n'avait pas dérougi, une nouvelle recrue, Rosalie, commençait le soir même et comble de malheur, Mélane avait appelé quelques minutes auparavant pour remettre sa démission! Suzie-Kim empoigna le téléphone et put échanger quelques mots avec son amie qui s'était dite touchée que l'Asiatique se soit déplacée pour elle, et qui accueilla avec joie l'annonce de son aménagement prochain dans les parages. Mélane laissa entendre qu'elle avait de sérieuses décisions à prendre et qu'elles se reverraient pour en reparler.

Accablée, Josée avait commenté les événements.

— Pauvre Mélane! Elle aurait dû m'en parler qu'elle était enceinte! Ce sont sûrement ses parents qui ont fait pression sur elle! On sait ben, dans ce milieu-là, ils ont encore tellement peur des qu'en-dira-t-on! Et en plus, je perds ma championne recruteuse! Elle m'a dit qu'elle voulait retourner aux études! Quelle histoire!

Se redressant, c'est en patronne qu'elle avait décrété:

— Eh bien, Miss Orient, il est temps d'avoir une promotion! J'ai une cabine de libre!

La Chinoise était prête. Mélane lui avait tellement parlé des goûts des clients qu'elle se sentait apte à la remplacer au pied levé. Elle se rendit à sa cabine et fit disparaître rapidement les photos de chaton gris et le *poster* représentant un coucher de soleil sur une plage. Elle s'empressa de nettoyer le dessus du comptoir et de modifier l'ordre des bouteilles d'huiles et des boîtes de mouchoirs, elle lava soigneusement la table à massage ainsi que le plancher. L'odeur suave du gardénia et le piquant de la pivoine que laissait Mélane dans son sillage s'estompèrent. Suzie-Kim glissa dans son sac le flacon à silhouette féminine d'*Organza* de Givenchy.

Elle se déshabilla et enfila un sarrau blanc par-dessus ses jolis dessous roses. Cet ensemble orné de dentelle noire aussi fine qu'une toile d'araignée ainsi que les cœurs qui en ornaient les attaches et la jarretière assortie *made in Paris* était le tout premier cadeau qu'elle s'était offert avec sa première paie de réceptionniste. Elle décida de se distinguer de ses collègues en enfilant les mignonnes mules roses qu'elle portait souvent pour répondre au téléphone. Puis, elle décréta que ce serait sa marque de commerce. Elle adorait les souliers, pourquoi pas les mules, de façon à ce que l'œil averti du client l'informe de la couleur des dessous de la belle.

La jeune fille étendit un drap propre sur la table de massage et eut à peine le temps de s'asseoir dans un coin en feuilletant le dernier numéro de *Coup d'œil* qu'une discrète sonnerie se fit entendre. Un coup, c'était un client avec rendez-vous. Deux coups, il désirait choisir sa masseuse. Toutes les filles présentes se précipitèrent dans le hall d'entrée, formant une rangée. Elles avaient toutes l'air professionnel. L'homme était grand, superbement vêtu et il était facile de deviner qu'il s'adonnait à la musculation. Il détailla de ses yeux noirs chacune des employées du salon de massage, pour rapidement pointer du doigt la jeune Asiatique.

— Miss Orient! Excellent choix. C'est notre débutante, approuva la patronne.

Les autres filles retournèrent dans leur cabine, dépitées. Pour une fois qu'un bel homme (et visiblement riche!) venait les visiter, c'était la Chinoise qu'il avait choisie! Ne leur restait plus qu'à espérer qu'elle ne soit vraiment pas douée…

Miss Orient l'escorta jusqu'à la cabine, lui désigna le peignoir blanc pendu derrière la porte et l'enjoignit de se mettre à son aise. Elle courut à la réception.

— Quel genre de voiture?

— BM, répondit la gérante. Méfie-toi.

La jeune fille retourna dans son local.

— Vous désirez prendre une douche? s'enquit-elle en s'interdisant de loucher sur les jambes profilées de l'homme.

— Ce ne sera pas nécessaire, à moins que vous vouliez m'aider un peu! blagua-t-il.

Miss Orient conserva son air neutre en constatant tout de même que l'homme avait négligé le peignoir. Et, détail important, il avait conservé son slip blanc, qui moulait agréablement un sexe déjà presque en érection. Le mutisme de l'Asiatique incita l'homme à s'étendre sur le ventre sans plus de préambules.

Sans rien laisser paraître de son trouble, Miss Orient appuya sur le bouton de son lecteur CD. Une musique intemporelle, d'un genre indéfini, largement utilisé dans toutes les cabines d'esthétique et tous les bureaux de dentiste, meubla l'espace. Mentalement, Miss Orient se promit d'apporter d'autres disques. Des blues sensuels, du jazz apaisant, des chanteuses comme Peggy Lee ou Diana Krall, tout sauf ces ritournelles vides!

La masseuse vérifia que son sarrau ne révélait rien de ses dessous, s'enduisit les mains d'huile à massage, les frotta ensemble vigoureusement et contrairement à l'enseignement reçu de sa patronne, ne grimpa nullement sur son client. Elle fit lentement le tour de la table en effleurant tout d'abord chacun des membres de cet homme magnifique. Suivant son intuition, elle n'osa aucun geste intime. Mais comme elle aurait glissé les doigts sous la bande élastique du slip! De belles fesses rondes qui appelaient les caresses et les baisers! Ses mains pétrirent la chair, en éprouvèrent l'élasticité, suivirent les contours des muscles; des jambes qui auraient su l'enserrer dans un doux étau, des bras protecteurs qui l'auraient enlacée avec fougue… si elle n'avait pas été aussi méfiante!…

Le client somnolait. En se retournant sur le dos, il lui demanda si elle était vraiment une débutante et elle répondit avec humilité qu'elle espérait qu'il apprécie le résultat de ses cours. Il lui décocha un sourire lumineux. Enhardi, l'homme voulut savoir pourquoi elle travaillait avec de si jolies chaussures.

— C'est une simple habitude, répondit-elle, je les porte aussi chez moi, elles sont aussi confortables que des pantoufles!

Du coin de l'œil, Miss Orient put apprécier la taille prometteuse du membre viril qui déformait effrontément le tissu du slip. Elle savait qu'elle n'aurait qu'un mot à dire, un geste à faire pour... non. Non, non! Mélane lui avait toujours dit: «Un policier ne se déshabille jamais au complet.» Et l'adage était vrai! Le quidam qui voulait se faire proposer un extra s'empressait de faire voler son caleçon. Mais jamais un policier.

Lorsqu'elle annonça à l'homme qu'elle avait terminé, il se risqua à dire: «Vraiment?» en insistant du regard. La masseuse ne cilla pas.

— Votre massage est terminé, monsieur. Ce fut un plaisir.

Elle sortit de la cabine pendant qu'il se rhabillait et alla à la réception, de façon à le remercier à sa sortie. L'homme régla sa visite et ajouta pour elle un important pourboire en louchant du côté du permis d'opération du salon de massothérapie. Il s'adressa à la propriétaire, qui afficha un air aussi détaché que possible.

— Une débutante, m'aviez-vous dit? Elle ira loin, elle est douée.

Aussitôt qu'il franchit la porte, Suzie-Kim se tourna vers sa patronne, le pouce levé. Ouf, pour une première fois, elle s'en était bien sortie! Et le compliment de cet homme la remplit de fierté et elle se promit de s'acheter quelques livres de massage pour raffiner ses méthodes.

* * *

En deux jours, Suzie-Kim avait décidé d'arrêter de fumer, réglé son déménagement, visité sa mère et reçu un appel d'une travailleuse sociale chargée de trouver une institution pour accueillir cette dernière suite à une autre crise.

De son côté, Josée avait pris la chose avec philosophie. Il n'avait jamais été question qu'elle héberge Suzie-Kim très longtemps mais s'inquiétait un peu de la distance qu'elle aurait à parcourir avant de venir travailler. Elles concoctèrent un horaire satisfaisant pour toutes les deux, d'autant plus que Miss Orient rapportait déjà beaucoup au commerce!

Elle lui confia:

— Je te trouve vraiment bonne! Je ne sais pas comment tu fais pour avoir l'air si sereine. Chloé et Laura me causent des problèmes — sais-tu que c'est la deuxième fois cette semaine que je trouve des bouteilles de vodka sous la pile de serviettes propres, dans la cabine de Laura? Et Chloé, qui commence à avoir les bras pleins de bleus! Elle va m'attirer des ennuis bientôt!... Heureusement qu'on a Rosalie pour te remplacer au téléphone! Non mais 'est-tu drôle cette petite-là, hein? Et pas gênée à part ça!

En tout cas, je voulais te dire que moi, la première fois que j'ai massé un gars et qu'il m'a demandé de le masturber, je me serais coupée les deux mains en arrivant chez nous, tant j'avais honte! J'avais ma fille dans ce temps-là, et je payais ma dope, j'avais pas le choix! Après... on s'habitue, mais la première fois, j'te dis que j'ai *rushé*!

Mélane a eu tout un pif lorsqu'elle t'a trouvée! Ah oui, ça me fait penser que c'est Rosalie qui va la remplacer demain, je lui ai parlé du *party* des hommes d'affaires, elle est partante!

* * *

Passé : samedi
21 h

Denise et Charlotte restèrent bouche bée lorsque leur jeune co-locataire fit irruption dans le salon pour leur souhaiter une bonne soirée. Suzie-Kim avait écumé les boutiques du quartier chinois et étrennait avec fierté une splendide robe de soie rouge à col mao, ornée d'oiseaux blancs et or finement brodés, qui soulignait la grâce de sa taille fine et les courbes de sa poitrine menue. Elle avait déniché de charmants escarpins de tissu, du même rouge ainsi qu'une pochette rigide rouge, gansée d'une tresse de tissu or. Ses cheveux de jais étaient torsadés en un chignon haut et d'exquis peignes décorés de minuscules perles dorées en soulignaient toute l'opacité et la finesse. Son visage pâle semblait envahi par ses yeux bridés, ourlés de khôl. Sa bouche, couleur de fraises écrasées, luisait d'un provoquant éclat de *gloss*, comme si la jeune femme se passait continuellement la langue sur les lèvres.

Coquette, elle avait accueilli les exclamations de surprise et avait laissé planer le mystère sur le soupirant anonyme que les deux concierges lui attribuaient d'office.

Le taxi l'avait déposée à l'entrée de l'Hôtel Empire, un édifice fabuleux, au cœur de la ville. Dans l'entrée, Rosalie faisait déjà le pied de grue, ravissante dans un tailleur de lin grège visiblement porté à même la peau. Soulagée de voir un visage familier, elle avait foncé vers Miss Orient qui apprécia instantanément l'odeur qui émanait de la jolie rousse. Sans hésitation, elle avait identifié la bergamote, le bois de rose, puis le muguet, l'iris, la rose et le jasmin. De la classe et de la jeunesse !

— *Un amour de Patou*, n'est-ce pas ? Tu me refileras le joli flacon rose lorsqu'il sera vide ? Je les collectionne !

Rosalie fut séduite sur-le-champ, autant par les connaissances olfactives de son vis-à-vis, mais aussi par son allure tellement exotique. Une belle amitié venait d'éclore! Les deux femmes s'installèrent de biais sur un luxueux sofa de cuir, dans une attitude faussement snob. Elles furent bientôt rejointes par Jenny et Mara, une autre lolita dont Jenny avait refilé le nom à la patronne. Les deux blondes étaient habillées de robes-jupons identiques, une, rose bébé, et l'autre, bleu poudre, garnie de rubans, de ruchés, de dentelles et de perles. Leurs joues rosées accentuaient leur allure juvénile. Elles regardaient les gens par en dessous, en distribuant à la ronde des sourires timorés. Rosalie battit des mains.

— On dirait des petites poupées!

Un murmure respectueux souligna l'arrivée de Bianca, la maîtresse. Elle s'était arrêtée sur le pas de la porte, parcourant le hall d'entrée du regard. Elle savait déjà où se trouvaient celles qu'elle devait rejoindre, mais en bonne dominatrice, elle déciderait du moment où le portier serait autorisé à refermer la porte derrière elle. D'autant plus que son fourreau de latex noir, moulant son corps nu, était ouvert au dos jusqu'à la naissance des fesses et elle sentait bien que le malheureux portier était déjà en nage sous sa livrée. Elle avait choisi de porter une perruque écarlate et ses talons aiguilles, de la même teinte, contrastaient violemment contre l'escarpin vernis noir.

Au bout d'un moment, elle daigna s'avancer pour que le jeune homme puisse faire son travail. Bianca marchait en ondulant gracieusement lorsque surgirent presque en courant trois demoiselles, chemisiers blancs et jupes courtes noires, abondamment maquillées. Miss Orient pinça les narines. Elle détestait ces parfums communs vendus en pharmacie! Les filles étaient danseuses au Lingot d'or et avaient été prêtées pour la soirée à la patronne. Un échange de bons procédés assez courant. Les présentations s'achevaient et il était maintenant l'heure de se présenter à la suite présidentielle. Malgré l'absence de deux collègues, les femmes se dirigèrent vers l'ascenseur.

— Attendez !

De justesse, Melody se faufila entre les portes métalliques en s'excusant. Son allure de gitane *sexy* fit sourire tout le monde. Elle avait des seins énormes et bien droits, et des hanches pleines, qu'elle faisait rouler comme une danseuse de baladi professionnelle. Elle semblait être un peu plus âgée que les autres, mais l'aplomb avec lequel elle vous dévisageait vous donnait l'envie de connaître l'étendue de son expérience !

L'ascenseur s'ébranla dans un discret chuintement et s'immobilisa en douceur, quelques secondes plus tard, au dernier niveau. Les filles auraient ensuite à emprunter un petit ascenseur personnel, vers un *penthouse* dont l'accès était jalousement préservé. À l'ouverture des portes du dernier étage, les masseuses s'exclamèrent en chœur :

— Laura ?

La bouche légèrement pâteuse, Laura expliqua que la patronne l'avait appelée à la dernière minute parce que Stéphanie faisait une *gastro*. Arrivée plus tôt, elle avait décidé d'aller faire un tour au bar, le New York...

— Vous devriez aller voir ce b... bar, les filles ! C'est sssuuuu... per beau !

Bianca ne lui jeta pas un regard et s'avança en souriant vers l'élégant Maghrébin qui se tenait bien droit devant le petit ascenseur aux portes de bois sculptées du logo de l'hôtel.

— C'est Josée qui nous envoie. Nous sommes... ses *mains de fée*.

Lui rendant son sourire, le gardien introduisit obligeamment une mince carte dorée dans une fente, dissimulée dans le mur par les motifs abstraits de la tapisserie. Lorsque les portes de l'appareil s'effacèrent après une brève ascension silencieuse, les filles se trouvèrent directement dans la suite présidentielle.

La pièce principale avait été transformée en chapelle ardente! L'œil exercé de Bianca s'arrêta sur les luxueuses tentures de velours florentin dont les tons d'or et de bronze absorbaient élégamment les reflets des centaines de chandelles disposées tout autour de la pièce. Malgré la climatisation de la suite, les bougeoirs dégageaient une chaleur douce qui indisposa immédiatement Melody. Sa tunique légère se teinta de taches humides et le tissu commença à épouser sa poitrine.

Les yeux des filles s'habituaient à la pénombre vacillante. Elles s'avancèrent en souriant. Elles distinguaient quelques silhouettes blanches et en conclurent que leurs hôtes étaient peu nombreux. Par contre, ce qu'elles n'avaient pu voir de loin, c'était qu'entre chaque homme blanc se tenait un Sénégalais dont on ne voyait de près que le jaune pâle des yeux. C'est lorsqu'ils sourirent à leur tour que les demoiselles purent apprécier l'effort esthétique de cette mise en scène! Miss Orient eut l'image fugitive d'un clavier de piano. De chaque côté d'une longue table de conférence, côte à côte, se tenaient bien droits et nus, congressistes québécois, canadiens, américains et sénégalais dont les échanges et les ateliers concernant l'exploitation forestière avaient été abondamment documentés dans les médias pendant la semaine.

D'une mélodieuse voix de basse, un Noir imposant, au crâne rasé, les invita à emprunter un petit escabeau et à s'aligner sur la table. Il leur tendait obligeamment une main large et ferme et ce faisant, complimenta son voisin sur la qualité de ses... contacts. L'adjoint du sous-ministre se promit de faire parvenir à la patronne de Mains de fée un pourboire substantiel si tout se déroulait comme prévu. Il sourcilla cependant lorsque Laura faillit perdre pied, mais elle lui décocha un sourire lumineux et il reporta bien vite son attention sur le beau tableau qui s'offrait à eux.

Le silence indisposait Rosalie et Miss Orient, qui croyaient participer à une fête passablement plus animée. Après avoir fait tourner sur elles-mêmes les invitées, les congressistes se regroupèrent près de celles qui les aguichaient le plus.

Comme si elle venait de décider de mener le bal, Bianca leva la jambe et posa le pied sur l'épaule d'un homme de bonne prestance, dans la cinquantaine, aux cheveux poivre et sel, et qui gardait dans son attitude l'allure du chef d'entreprise. S'il s'était approché d'elle, Bianca savait pourquoi. La pointe de son talon aiguille écarlate s'enfonça profondément dans la chair du propriétaire d'une importante scierie.

— À genoux! ordonna-t-elle.

Les filles n'avaient jamais encore connu de dominatrice et furent impressionnées de la célérité avec laquelle obéit l'homme. Pendant qu'elle faisait agenouiller ainsi sa petite cour d'esclaves, Jenny et Mara firent des manières et se firent prier pour descendre, afin d'aller rejoindre quelques hommes plus âgés, aux allures bienveillantes de grands-pères. Les lèvres luisantes, ceux-ci avaient déjà déshabillé en pensée ces petites poupées et imaginaient sans peine l'odeur si douce de leur vulve vierge, du moins préféraient-ils concevoir ainsi la chose.

Melody et Miss Orient s'étaient vues sollicitées par plusieurs Sénégalais, pour qui la Chinoise et la brunette gitane constituaient une chimère désormais à portée de caresses. Quant aux trois danseuses, elles avaient commencé à prendre des poses à tendance saphique, s'embrassant du coin de la bouche en balayant les congressistes du regard. Elles furent rapidement rejointes par les cinq représentants de l'industrie forestière américaine, bâtis comme des armoires et désireux de plier ces aguicheuses à leurs moindres désirs.

Laura se fit rapidement oublier, car elle avait repéré le bar et s'y était réfugiée en compagnie d'un Sénégalais porté autant qu'elle sur la bouteille.

Rosalie fut ravie d'hériter du superbe Noir qui les avait aidées à monter sur la table. Elle lui chuchota quelque chose à l'oreille et ils disparurent dans une pièce adjacente. Bien vite, le son sourd et persistant d'un tam-tam en filtra et Miss Orient pensa, amusée, que la jolie rousse s'offrait son premier *strip-tease* culturel.

Ce son ne vint en rien perturber les occupations de Bianca qui, descendue de la table, avait obligé ses esclaves à s'agenouiller autour d'elle, les mains bien à plat sur les cuisses. Satisfaite, elle se dirigea vers le premier, un agréable Sénégalais à la tête bien ronde, qui roulait des yeux extatiques. Elle releva son fourreau jusqu'à la naissance de ses fesses, l'enjamba en appuyant son mollet contre le dos d'ébène et glissa son autre jambe jusqu'à l'entrecuisse de l'homme qui craignit un moment qu'elle n'enfonce son redoutable talon dans un de ses testicules. Mais Bianca n'avait qu'une envie : sentir sur son sexe ces lèvres pulpeuses, superbement dessinées. À la lueur des bougies, l'homme vit apparaître dans son champ de vision, encadrée de latex noir, la plus appétissante des vulves qu'il s'empressa d'embrasser avec ferveur. Contre toute attente, la dominatrice le gifla et se détourna de lui pour aller offrir son sexe à son voisin qui subit le même sort, et le suivant également... La galanterie des Sénégalais jouait contre eux ! Bianca voulait plus ! Rageusement, le corps tendu d'agaceries, elle héla Melody qui entraîna bien sûr à sa suite ses admirateurs, et Miss Orient, par la même occasion. Bianca grogna qu'elle n'avait autour d'elle que des incapables et demanda à Melody de leur faire une démonstration de broute-minou à la québécoise. La brunette fit voler tunique et jupe, au grand plaisir des invités et, nue comme Ève, elle s'agenouilla, les mains sur les cuisses.

La dominatrice reprit sa position, relevant même sa robe un peu plus haut, pour que ses esclaves aient une vision claire de ses attentes. Melody renversa la tête et glissa une langue pointue dans la fente de Bianca. Elle fit bouger son organe d'avant en arrière, titillait l'entrée du vagin pour tout de suite l'abandonner et suçoter le clitoris passablement gonflé. Ce petit manège excitait considérablement la pulpeuse demoiselle, aussi fut-elle reconnaissante au grand mince qui s'agenouilla dans son dos pour mieux l'enlacer et empoigner ses seins avides. Dans la vulve de Melody commença à sourdre un petit ruisseau qui ne demandait qu'à être exploré. Elle émit un petit gémissement auquel Bianca fit écho. Les esclaves agenouillés ressentaient douloureusement les battements de leur verge affamée, mais n'osaient faire un geste, goûtant la brûlure de leur désir comme un passage obligé vers l'orgasme.

Miss Orient ressentait aussi la chaleur montant dans son ventre et se souvint qu'elle avait apporté les boules de Hubei dont elle se servait parfois pour les massages, ainsi qu'un joli chapelet de boules chinoises. Elle s'éloigna du groupe pour aller les chercher, passant intentionnellement tout près du bar où elle put apercevoir Laura, couchée sur le dos et troussée jusqu'à la taille, recevant les hommages emportés de son compagnon de beuverie. Derrière la porte close, les cris de Rosalie et les ahanements de son compagnon rassurèrent l'Asiatique sur le bon déroulement des opérations.

Elle revint vers le petit groupe en manipulant les boules creuses. Melody, que l'excitation faisait couler abondamment, s'était couchée sur le dos et avait soulevé le bassin dans une offrande sans équivoque. Le cercle des spectateurs s'était rétréci, chacun se repaissant de cette vue qui électrifiait leurs sens. Comme si un signal s'était fait entendre, quelques-uns s'agenouillèrent autour de la gitane et commencèrent à lui baiser le ventre, les cuisses, à mordiller délicieusement ses longs mamelons foncés, à lui présenter leur verge pour qu'elle les presse et les embrasse.

Reconnaissant le son clair, Melody tendit le bras vers la Chinoise et s'empara de deux boules argentées, de la grosseur d'une balle de ping-pong. Lançant des clins d'œil coquins à ses admirateurs avides, elle écarta d'une main experte ses petites lèvres et enduisit les boules de son liquide intime. Elle n'eut qu'à exercer une légère pression pour que celles-ci disparaissent, happées par son vagin lubrifié. Ceux qui eurent le bonheur de se glisser dans sa vulve bien élargie et glissante à souhait, ressentirent contre leur membre le roulement des sphères qui s'appuyaient en différents endroits sur les parois vaginales de Melody. Elle accueillait chacun des congressistes avec enthousiasme en roulant des hanches avec habileté, si bien qu'aucun d'entre eux ne put tenir bien longtemps à ce rythme! Et la chaude brunette connut plusieurs orgasmes successifs qui l'emplirent de contentement.

Bianca s'approcha et entreprit de déshabiller Miss Orient, prolongeant l'attente et l'envie des autres hommes. Soumise à ces mains expertes qui savaient avec science allumer des petits foyers d'excitation tout le long de son corps, la jeune chinoise sentit son ventre tressauter. La soie fine caressait sa peau en se répandant à ses pieds. Elle se laissa dévêtir entièrement. Puis, la dominatrice pointa deux de ses esclaves et leur ordonna de servir de fauteuil humain pour la demoiselle. Sans effort, les hommes soulèvent la jeune fille, confortablement calée sur leurs poignets entrelacés, les genoux bien soutenus. En passant ses bras autour du cou de ses porteurs, elle constata plus loin que les congressistes américains privilégiaient la levrette, les trois danseuses étant soigneusement alignées, les fesses relevées, leurs têtes rythmant les coups de butoir qu'elles accueillaient avec des cris dignes des meilleurs films pornos.

Bianca retourna tourmenter ses autres soupirants, confusément inquiets d'apercevoir entre ses mains l'enfilade de boules chinoises. Un Sénégalais plutôt replet, au torse couvert de petits poils frisés, lesquels rappelèrent à Miss Orient le mouton rasé des anciens manteaux, s'approcha de la jeune fille. Du haut de sa chaise, elle remarqua que sa bouche était juste à la bonne hauteur pour lui happer un mamelon au passage et cette pensée provoqua une contraction dans son vagin. L'homme avait la main large, mais les doigts plutôt effilés. Il plaqua d'abord sa paume sur la vulve chaude en exécutant un infime mouvement giratoire, attentif au moindre sursaut de l'Asiatique. Un jeune homme roux se posta dans son dos pour s'occuper exclusivement de cette partie de son anatomie, s'attardant particulièrement au creux charmant de ses reins. Ceux qui la soutenaient n'avaient qu'à baisser la tête pour accorder un peu d'attention aux jolis seins blancs et doux qui en réclamaient en pointant des mamelons affamés.

Jenny et Mara, qui avaient laissé les messieurs les déshabiller, les humer, les goûter et qui avaient su les caresser avec juste assez de maladresse et de timidité pour que ceux-ci éjaculent sans tarder, s'approchèrent des deux hommes forts. Appuyant leur corps nubile contre leur dos, les deux filles purent à loisir caresser des épaules larges, des fesses fermes et des cuisses musclées. Miss Orient ressentit un subtil changement dans l'attention dont bénéficiait sa poitrine, les bouches se faisant plus exigeantes, pressées. Un léger tremblement la fit momentanément craindre pour son équilibre.

Tout en poursuivant son manège propre à exacerber les sens, le congressiste avait pivoté de façon à effleurer de son thorax l'intérieur de la cuisse de la demoiselle. Comme sous l'effet d'un sortilège, cette caresse duveteuse généra un afflux de cyprine et Miss Orient écarta largement les jambes. L'homme retira la main brièvement et d'un doigté délicat, écarta les lèvres humides en les étirant en forme de papillon, pour permettre à tous les autres hommes de jouir de la perfection de cette magnifique orchidée rose. Plusieurs en profitèrent pour se masturber énergiquement en la complimentant sur la beauté de son sexe.

Étourdie de désir, l'Asiatique sentit d'abord un doigt, puis deux, se lover à l'entrée de son vagin, puis le pouce qui agaça son clitoris déjà bien gonflé. Elle sentit le sang affluer dans ses parois intimes et l'homme en ressentit l'élasticité. Elle était prête. Il insinua lentement un troisième, puis un quatrième doigt, son pouce ne déviant pas du bourgeon, prêt à éclater.

Miss Orient, envahie par la luxure, gémit des souffles chauds et haletants qui maintenaient ses mamelons érigés. La main qui la menait vers des jouissances inconnues poursuivait son intromission et il lui semblait que les parois de son vagin s'élargissaient à mesure que passaient les jointures, puis le pouce.

Délicatement, les doigts de l'homme se replièrent, les muqueuses épousant sans problème cette masse de chair qui stimula le point G de la jeune femme. Elle commença à gémir de plus en plus, son corps entièrement réceptif à ces émotions intenses. Elle imagina qu'au creux de son ventre s'ouvrait un dôme! Le poing du Sénégalais s'enfonça encore, centimètre par centimètre et vint finalement se loger complètement dans sa caverne intime. Chaque pression contre la paroi ronde que formait le col de l'utérus déclenchait chez la femme un afflux de liquide chaud. Miss Orient se sentait écartelée, sa vulve enserrant étroitement ce bras qui déclenchait en elle des sensations proches du délire.

Subitement inspiré, le jeune homme derrière elle s'accroupit et se faufila entre les porteurs, jouissant d'une éclaircie sur les fesses écartées de l'Asiatique qui apparaissaient entre les poignets des hommes, dont les provocantes verges sombres l'excitèrent tout autant. Fervent amateur des saveurs amères, le garçon laissa courir sa langue sur le sillon rose carminé, insistant sur le fleuron plissé qui s'agitait au gré des pulsions de Miss Orient. Ses deux mains s'emparèrent fermement des hampes impatientes, perfectionnant le travail de Jenny et de Mara, qui notèrent un tremblement accru des cuisses des porteurs.

Le poignet de l'homme, bien fiché dans le vagin de la jeune Chinoise, fut bientôt inondé de jets laiteux et bouillonnants que plusieurs associent à tort à de l'urine. L'homme put amorcer un subtil mouvement de va-et-vient, très léger, juste de quoi faire grimper d'un cran la jouissance de la femme qui ne croyait pas la chose possible. Alors que Miss Orient se pensait au bord de la folie, la langue brûlante du congressiste poursuivit l'œuvre dévastatrice du pouce sur le clitoris momentanément délaissé.

Recouvert de salive, le bouton charnu se retrouva emprisonné entre les lèvres impressionnantes du Sénégalais qui le pressa avec douceur et fermeté, comme s'il voulait en forcer l'éclosion. Le corps entier de l'Asiatique chavira, un courant électrique puissant la traversa et les porteurs eurent fort à faire pour garder leur équilibre. Son cri aigu provoqua une éjaculation spontanée chez plus d'un spectateur et Miss Orient ne sentit point le bras se retirer d'elle. Elle fut ensuite déposée respectueusement sur un divan où, pantelante, elle divagua pendant de longues minutes.

Le jeune rouquin put enfin s'occuper entièrement des porteurs. Ahuris, mais néanmoins trop excités pour le repousser, le premier gaillard enfila sa longue tige entre les fesses pâles et joliment picotées qui se tendaient vers lui et le deuxième laissa ses sens le submerger et répandit sa semence dans cette gorge qui l'accueillait avec tant d'empressement.

Ce soir-là, chacune des filles repartit chez elle le sac à main débordant de beaux billets, signe tangible de la reconnaissance enthousiaste des congressistes.

* * *

Passé : printemps 2005

Avec le temps, Miss Orient était devenue une masseuse méthodique. Elle notait dans un petit cahier, sous la date et la description des sous-vêtements de la journée, les noms de chacun des clients, leurs manies, les extra demandés et au besoin, leurs commentaires. Pour les bavards, elle consignait leur principal sujet de conversation. Elle notait aussi le montant des pourboires.

Par exemple, à la page 18 de son carnet, on pouvait lire :

8 h *Gregory. Douche tiède, shampoing. Fellation. Femme enceinte, 7 mois. 10 $*

9 h 15 *Paul. À déshabiller. Éjaculateur précoce. Nouvelle voiture. 5 $*

10 h 30 *Steve. Nouveau. Stéroïdes ? Bande mou. Un peu agressif. 3 $*

Midi *Jean-Pierre. ^{1}/$_2$ heure. Doigt dans l'anus. 5 $*

La jeune masseuse possédait un flegme tout à fait oriental, qui lui conférait une sorte de détachement. Le fait d'avoir à s'enduire les mains d'huile et de caresser des ventres et des cuisses, puis de baisser des slips et de pétrir des testicules, d'empoigner d'une main douce et ferme des pénis bandés et de les manipuler comme si c'étaient des trésors ne lui causaient aucun problème, et elle se félicitait de ne point avoir besoin de recourir à des drogues ou à l'alcool pour accomplir son travail.

Les hommes râlaient, gémissaient ou serraient les dents sous ses petites mains blanches et plusieurs se mirent à lui brandir sous le nez des billets rouges, puis des billets bruns.

Soucieuse d'engraisser son compte de banque et grandement motivée par les compliments qu'elle récoltait, elle apprit à glisser un condom avec les lèvres sur des verges impatientes et à les masturber en maintenant le gland dans sa bouche, donnant l'illusion de les avaler tout rond. La Chinoise garnissait maintenant ses tiroirs de sous-vêtements de toutes les couleurs, tous plus arachnéens les uns que les autres et le bas de sa garde-robe regorgeait de mules multicolores, à plumes, à pois, à paillettes! Sa passion pour les parfums engloutissait régulièrement le salaire de plusieurs heures d'efforts.

*   *   *

Paradoxalement, celui qui lui avait laissé le plus gros pourboire l'avait simplement récompensée... pour son écoute! Il s'appelait Luc, il était arrivé en coup de vent, sans rendez-vous. Miss Orient venait de reconduire un client à la porte lorsqu'il l'avait apostrophée en lui demandant si elle était libre. Il était tellement fébrile qu'elle avait rapidement conclu qu'il était sous l'influence d'une substance quelconque.

Dans la cabine, il s'assit d'abord sur la chaise, puis sur la table à massage, puis se releva en faisant les cent pas de long en large... Miss Orient lui demanda le plus calmement possible ce qu'il désirait. Son discours décousu trahissait une grande émotion. Luc ne semblait pas savoir vraiment ce qu'il venait chercher dans ce lieu, comme s'il y était entré par hasard. Finalement, il déplia devant l'Asiatique une feuille d'un blanc douteux, qui semblait avoir été pliée et repliée des centaines de fois. Miss Orient tendit la main. Luc répétait: «Incroyable, c'est incroyable!»

Renonçant à le faire coucher sur la table, la masseuse avait pris l'initiative de s'asseoir sur la chaise et de lire ce message en provenance d'une curieuse adresse courriel se terminant par *.id*, et dont l'objet était : « Luc y a pas d crosse »

Elle relut cette ligne à haute voix :

— Luc y a pas dé crosse ?

L'homme s'arrêta net devant elle.

— Non ! c'est parce que le clavier n'a pas les apostrophes ! Y a pas d'crosse ! Mon *chum* Sylvain disait toujours ça ! C'est pour ça que j'ai ouvert le courriel, sinon y serait allé à la poubelle tout de suite, j'ai tellement peur des virus ! Mon *chum* le savait, c'est pour ça qu'y a écrit ça de même !

Miss Orient leva un sourcil. Elle ne comprenait pas. Pendant que Luc répétait encore : « Incroyable ! C'est incroyable ! », elle lut en diagonale le texte imprimé et comprit soudain l'exaltation de son client. Non, ce n'était pas la drogue : c'était la résurrection d'un mort !

Le dénommé Sylvain avait été porté disparu depuis le 26 décembre 2004. En vacances à Banda Aceh, en Indonésie, il était de ceux qui avaient été frappés de plein fouet par le tsunami et il venait de recevoir son congé de l'hôpital de province où tout ce temps, il avait été plongé dans un coma profond ! L'homme demandait à Luc d'avertir ses parents avec la plus grande des précautions, conscient des risques qu'une trop grande émotion pouvait avoir sur son père cardiaque.

Luc s'assit sur le rebord de la table à massage.

— C'est incroyable, hein ?! Mon *chum* Sylvain, en vie ! Il m'a tellement manqué...

Sa voix se brisa, des sanglots se bousculaient dans sa gorge. Miss Orient se leva et le prit dans ses bras. Il pleurait maintenant à chaudes larmes : son chagrin, son soulagement, le poids d'avoir à annoncer cela à la mère de Sylvain, veuve depuis trois semaines… L'Asiatique attendait, elle avait tout son temps. Elle lui caressait les cheveux, murmurait des paroles apaisantes, le serrait fort.

— Il a bien de la chance de vous avoir, votre ami!

Luc avait levé les yeux, son espoir revenu. Cette masseuse avait raison! Il se devait de faire honneur à son copain; honorer sa confiance et préparer son retour. Miss Orient lut une détermination nouvelle dans le regard de son client. Lorsqu'il se redressa pour prendre congé et qu'il glissa la main dans sa poche, elle posa les doigts sur son poignet en faisant un signe en guise de refus. Mais Luc insista et la gratifia d'un énorme pourboire.

— Vous avez fait beaucoup pour moi. Merci!

Interloquée de la courte durée de la visite de ce client, la patronne avait accepté le paiement de Luc et l'avait regardé partir.

— Décidément, je ne sais pas ce que tu leur fais, mais en arrivant, ce gars-là était tendu comme une corde de violon et tu as su en jouer, ma p'tite Chinoise! Il est tout calme, maintenant!

*   *   *

Comme elle travaillait principalement le jour, elle put faire croire longtemps à Denise et à Charlotte que ses cours avançaient bien. D'humeur particulièrement joyeuse, elle leur annonça un soir qu'elle avait enfin passé son diplôme et dans la foulée, qu'elle avait décroché un emploi dans un cabinet de médecine homéopathique situé complètement à l'autre bout de la ville. Les deux sœurs étaient trop sédentaires pour envisager une visite dans le West Island, et présumèrent que Suzie-Kim y pratiquait la massothérapie. Elle se fabriqua par ordinateur un faux diplôme qu'elle encadra bien en vue dans sa chambre. À l'institution où résidait sa mère, elle avait fourni le numéro de téléphone d'un appareil cellulaire acheté exprès pour ce bureau fictif.

Lorsque vibrait son téléphone noir et argent, elle répondait: «Bureau du docteur Brunet, bonjour!» à sa mère qui, d'une voix changée par la médication, lui posait une ou deux questions, avant de la laisser travailler. Sa boîte vocale stipulant qu'elle était occupée sur une autre ligne enregistrait bien souvent d'autres questions témoignant combien elle était le centre de l'univers de la pauvre femme.

* * *

À cette époque, Suzie-Kim trouvait un grand réconfort à se promener dans le Mile End et à Outremont, seule ou en compagnie de Mélane, qui terminait des études en gestion en vue de s'ouvrir une petite boutique de lingerie. Ces quartiers vieillots étaient peuplés aussi bien par de jeunes couples visiblement bien nantis que par des personnes âgées qui passaient leurs après-midi à musarder sur la rue commerciale. D'intrigants Juifs hassidiques au visage encadré de boudins déambulaient en famille, vêtus de longs manteaux noirs et de chapeaux plats posés sur le dessus du crâne, peu importe la saison. Quelques auteurs de romans et comédiens en herbe observaient leurs semblables, affalés sur les chaises en osier des terrasses, le visage masqué de lunettes noires.

L'Asiatique goûtait pleinement cette sensation d'être en voyage. Elle n'avait qu'à franchir la porte d'une épicerie fine pour absorber tout un mélange subtil d'odeurs mélangées: la levure du pain frais, le réconfort du café chaud, l'odeur épicée du comptoir à charcuterie, l'aigre du comptoir des fromages... Les provenances, les étiquettes colorées, les emballages fantaisistes, l'invraisemblable profusion de thés du monde entier!

La jeune femme avait l'impression de vivre enfin une vie de rêve et se refusait à voir le côté sordide de son emploi du temps. Si elle était seule, elle s'attablait à la terrasse d'un petit café, commandait un espresso et plongeait le nez dans un magazine de mode, rêvant de toutes ces tenues somptueuses qu'elle porterait un jour et de toutes ces bouteilles de parfums aux formes incroyables qui enrichiraient sa collection. Heureuse et engourdie de soleil, il lui arrivait de laisser filer son esprit qui en profitait pour revisiter ses souvenirs.

*　*　*

Passé : automne 2003

Un beau dimanche matin, Suzie-Kim s'était éveillée remarquablement tôt en se rappelant qu'elle était toute seule à la maison pour la journée. La veille, ses colocataires étaient parties en visite chez une connaissance. La jeune fille avait décidé sur-le-champ de s'attaquer à ce qu'elle appelait : son grand remue-ménage. Comme elle avait en horreur la majorité des tâches ménagères, sauf peut-être la vaisselle qu'elle considérait comme une tâche nécessaire et «digestive», elle laissait aller les choses jusqu'à ce qu'un bon jour, elle se lève en se demandant tout haut comment elle réagirait si quelqu'un se pointait à l'improviste. En fait, à part Mélane, qui d'autre pouvait se présenter ?... Mais qu'importe !

Fatalement, elle finissait par être complètement absorbée par la lecture d'un magazine de mode retrouvé sous un coussin ou ravie de mettre la main sur des prospectus de voyage cachés dans un tiroir... Et elle s'apercevait ensuite avec un certain découragement que rien n'était fait à la fin de la journée.

Bien décidée cette fois, la jeune fille parla tout haut.

— Première étape : LA musique !

La voix de James Brown, entraînante, envahit tout l'appartement.

Whoa-oa-oa! I feel good, I knew that I would, now
I feel good, I knew that I would, now
So good, so good, I got you

Whoa! I feel nice, like sugar and spice
I feel nice, like sugar and spice
So nice, so nice, I got you

Elle ramassa tout ce qui traînait en ponctuant ses gestes de coups de tête et de hanches et en superposant sa voix à celle des cuivres qui ponctuaient chacune des strophes de la chanson.

— *So good!* han! han! *So good!* han! han! *I got you!*

Puis, elle entreprit d'aller assainir son petit espace de rangement situé au sous-sol, où elle avait entassé quelques meubles ramenés de la maison familiale lors de l'internement de sa mère.

Suzie-Kim glissa deux torchons dans la ceinture de son plus vieux jean, empoigna d'une main un balai flanqué de son porte-poussière et de l'autre, un gros seau de plastique rouge dans lequel reposaient une paire de gants de caoutchouc roses et une bouteille de produit nettoyant à l'odeur de citron.

Optimiste et remplie de bonnes intentions, la demoiselle se dirigea tout au fond du palier et pénétra dans un petit monte-charge réservé aux déménagements. Elle aurait pu emprunter l'étroit escalier de béton, chichement éclairé et en colimaçon, dont la porte donnait dans la cuisine et qui reliait chacun des appartements, mais celui-ci, dépourvu de rampe sécuritaire, donnait le tournis à plusieurs résidants de la maison et ses marches hautes étaient mortelles pour les articulations. Le *squattage* du monte-charge était donc devenu une activité presque banale dont plus personne ne s'étonnait.

Les portes du petit ascenseur s'ouvrirent sur un vaste espace propre. Le sous-sol était éclairé au néon et chacun des espaces était identifié par un numéro sur des portes pleines. Avisant les cadenas qui en garnissaient le fermoir, elle se rappela avec dépit qu'elle avait oublié sa clé! Évidemment, l'ascenseur était déjà reparti. Elle alla déposer ses objets devant la porte 17 et se résigna à emprunter l'escalier honni pour remonter vers son appartement.

Suzie-Kim avait compté cent marches, puis s'était découragée.

— Allez, hop! encore une marche ma grande... marmonnait-elle.

Un bruit, très fort, frappé contre l'une des portes, la fit sursauter. Elle figea sur place, le cœur emballé. Encore! Et des sons, presque des grognements, des sons de gorge! Instinctivement, elle s'accroupit et rebroussa chemin sur quelques marches pour s'immobiliser contre un tournant, rempart bien dérisoire lui permettant d'observer la porte d'où provenaient ces sons étranges. Celle-ci s'ouvrit brusquement, comme sur la poussée d'un homme qu'elle voyait de dos. Un fier-à-bras portant pour tout vêtement un jean noir. Malgré sa peur, la jeune femme ne put s'empêcher d'apprécier la coupe impeccable qui moulait admirablement le fessier de ce mâle intempestif. Il s'adressa, d'une voix sourde et fiévreuse, à quelqu'un resté à l'intérieur.

— Viens, allez, viens, ma belle! Il n'y a jamais personne, ici!

Il tendit les bras; ses muscles saillirent. La jeune voyeuse se demanda de quelle façon signaler sa présence lorsque l'irruption presque violente d'une femme sur le pas de la porte, puis dans les bras puissants de cet homme, l'obligea au silence. Visiblement, de son point de vue du moins, la dame qui avait ainsi bondi vers son amant en le faisant reculer de quelques

pas et se frapper le dos sur le mur, ne portait guère de vêtements, si ce n'est une sorte de longue jupe. Suzie-Kim n'en
voyait que la silhouette projetée dans la cage d'escalier par
l'éclairage de l'appartement. Cependant, elle savait apprécier
une belle chute de reins, même en ombre chinoise!

Elle envisageait, découragée, de redescendre lorsqu'elle
entendit des mots d'amour, tendres et touchants, entrecoupés
de baisers passionnés. La voix masculine enjoignit sa compagne à se pencher dans les escaliers. Suzie-Kim posa une fesse
sur une marche. En s'étirant le cou, elle pouvait jeter un œil en
contre-plongée. Elle ne voyait que la jupe marine, et le bel
homme qui se mettait à genoux derrière. Avec une délicatesse
infinie, il releva le tissu soyeux, découvrant progressivement
des chevilles effilées, puis des mollets fuselés qu'il embrassa
religieusement. Il frotta ensuite son nez contre des cuisses qui
tremblaient un peu. Il continuait de murmurer des mots
chargés de désir, les yeux clos.

Son amante commença à onduler les reins, comme pour une
danse libertine. L'homme remonta le vêtement par-dessus la
taille. Le tissu retombant de chaque côté des fesses blanches en
faisait ressortir la perfection. Deux globes laiteux, veloutés
comme des pêches! L'homme y frôla la joue, y frotta ses cheveux
alors que son amante poursuivait son déhanchement enjôleur.

— Penche-toi un peu plus, mon amour, montre-moi ta belle
chatte mouillée! souffla-t-il.

Suzie-Kim sentit sa propre vulve se détremper. Elle serra les
cuisses pour coincer la couture de son jean contre son clitoris.
Elle avait chaud! Et peur d'être découverte! Elle admira l'allure
altière de l'homme, d'origine grecque selon toute vraisem-
blance. En tout cas, «beau comme un dieu» serait ici la formule
appropriée. Et elle ne pouvait détacher les yeux de ce profil
irradiant d'envie, de cette langue qui se profila bientôt dans la

fente de son amante, lui arrachant des soupirs étouffés. Il la mangeait avec ferveur, suçait son clitoris avec application, attentif au moindre changement de respiration, s'enhardissant des gémissements qui franchissaient la barrière des scrupules de sa bien-aimée.

Suzie-Kim glissa une main sous son chandail. Ses mamelons étaient au garde-à-vous, quêtant désespérément une caresse. Elle serra les dents pour s'interdire d'émettre le moindre son, tandis qu'elle frottait la pointe de ses seins contre sa paume. L'homme mouilla son majeur sur toute la longueur et l'introduisit dans le vagin humide de sa belle. Elle était vraiment prête à être pénétrée! Cependant, l'homme continuait de la lécher, encore et encore, pendant que son amante se tortillait de plus en plus. Il murmura d'une voix rauque:

— Tu en veux plus, c'est ça? Dis-le!

Il ajouta son index et fit tourner les deux doigts contre les muqueuses chaudes, les amenant à se dilater. L'amante le supplia.

— Oui, oui, j'en veux plus! Viens! Prends-moi! Ouvre-moi!

De son poste d'observation, Suzie-Kim remarqua que la femme avait dénoué un pan de sa jupe et lorsque celle-ci s'affaissa à ses pieds, l'Asiatique constata avec horreur que l'amante n'aurait qu'à baisser la tête pour l'apercevoir entre ses seins! Mais la main de Suzie-Kim continuait à s'activer sous son chandail et le battement sourd qui torturait son sexe la paralysait entièrement. L'homme laissa rapidement tomber son jean ainsi que son beau slip noir. Comme l'Asiatique aurait aimé laisser courir sa bouche sur cette belle verge tendue! Le gland luisant semblait près de prendre feu, mais l'homme, en parfait contrôle de lui-même, décida de faire durer un peu plus le plaisir. Empoignant son pénis durci d'une main, il en fit patiner l'extrémité sur toute la surface de la vulve de son amante, épandant sa glaire sur toute la superficie. L'onctuosité de la lotion intime faisait palpiter non seulement le vagin, mais aussi l'anus de la belle qui fleurissait à vue d'œil. L'homme empoigna le fessier de sa belle à deux mains et maintint son phallus ainsi coincé dans le sillon glissant. Son bassin avançait et reculait, dans une somptueuse masturbation. Son amante cambra les reins et secoua la tête, les yeux fermés; ses sons de gorge témoignant de son excitation croissante.

L'affolement gagna Suzie-Kim. Serrer les cuisses ne lui suffisait plus et rapidement, elle glissa sa main libre dans son pantalon et fit tourner son clitoris comme une toupie! Sa mâchoire devint douloureuse, tant elle ne voulait émettre le moindre bruit! Il lui semblait que le clapotis de son propre fluide résonnait dans la cage d'escalier. Hypnotisée, les mains agitées, elle suivait à la fois le rythme de la respiration de l'amante qui était de plus en plus saccadée, et le mouvement d'une douceur exaspérante du pénis de l'homme.

L'amante se mit à le supplier, comme un mantra.

— Oui, oui, oui, oui, enfonce-toi, oui! oui! oui! oui!

Elle courba encore plus les reins. L'homme se campa alors solidement derrière elle. Il mouilla derechef son index et son majeur qui reprirent d'assaut le vagin exaspéré de la fille. De l'autre main, il empoigna et enfonça lentement son membre dans son anus brûlant en laissant échapper un sourd grognement.

— Oh que c'est bon!

La supplique incessante de la belle se mua en un long «ah» extatique. Le pénis disparut jusqu'à la garde, l'homme en sentit clairement la pénétration sur ses doigts pressés contre la fine membrane vaginale. Les amants se soudèrent en une intense contraction pendant que Suzie-Kim jouit silencieusement, avec l'impression d'imploser. Elle se hâta de redescendre les escaliers sur la pointe des pieds pendant que les râles indiquaient que la jouissance des amants était imminente.

* * *

Présent: automne 2006
Jeudi
3 h 50
Extraits du blogue:
GoodGuy: Est-ce toi qui choisis ta musique?

*Cher GoodGuy, oui, je décide sur quelle musique je veux danser.
J'aurais pu choisir de la musique traditionnelle japonaise pour
fitter avec mon costume! Mais je soupçonne que peu d'entre vous
ont l'oreille exercée aux sonorités de ce genre musical, et franchement, je pense qu'elle vous taperait sur les nerfs. Un petit set de trois
pièces à la fois, c'est juste assez! C'est pourquoi j'ai choisi des pièces
populaires et archi-connues chantées en japonais ou en chinois ou
en vietnamien... qui s'en soucie, au fait?*

*Je vous regarde le visage lorsque je danse et si je vous vois fredonner
la chanson popularisée ici par une vedette ou hocher la tête au rythme
de la musique, je m'attarde près de vous, je vous fais des yeux doux, et
à tout coup, vous me faites un signe: «Viens me voir après.»*

*[...] Dans vos pupilles, où se reflètent les éclats de lumière, je lis une
sorte d'adoration! Vous voyez une déesse... Honnêtement, j'ai tellement
travaillé mon enchaînement que vous pouvez attirer mon attention en
m'envoyant de grands baisers et je n'ai crainte de rater une seule
mesure de musique. Lorsque je me laisse glisser sur le sol en faisant un
grand écart impeccable et en laissant tomber le kimono comme une
corolle autour de moi, je suis tout autant excitée que vous, mes chéris!*

*En réponse à Zombiewolf: Oh boy! Ma position préférée
quand je danse?... J'aime m'étirer comme un gros chat, les bras
devant, le dos allongé, les fesses pointant vers le plafond. En levant
les yeux sans bouger la tête, cela me donne un air plus mystérieux.
(Je vous repère alors plus facilement, vous qui glisserez plus tard vos
billets dans ma jarretière!)*

Oui, c'est mon petit talisman, ma jarretière! Je ne rechigne pas à me tortiller de toutes les manières, à écarter les jambes à portée de langue de n'importe lequel d'entre vous, sauf que même à la fin de la chanson, je garde toujours sur moi ce petit bout de tissu fétiche. Lorsque mon ro gît à mes pieds et que vous fixez, la bouche ouverte, mes petits seins et mon mignon pubis, je ne me sens pas tout à fait nue! Tiens, tu devrais m'écrire ce que tu préfères chez une danseuse, cher Zombiewolf! Peut-être pourrais-je intégrer cela dans mes prochains numéros?...

En réponse à Godzilla qui veut savoir si je suis une vraie Chinoise: *Bien sûr que j'en suis une! J'ai été adoptée, comme tant d'autres ici. Pas toi? Avec ton nick[12], je serais tentée de le croire, à moins que tu ne sois un amateur de films psychotroniques[13]! En tout cas, c'est bien la première fois qu'on me pose cette question! Mes parents ont essayé de garder vivante la culture de mes racines, mais je n'ai rien conservé de tout ça. C'est fou, mais j'ai essayé de sortir plus souvent dans le quartier chinois pour vérifier si je m'y sentais à l'aise et j'ai vite renoncé. On aurait dit que j'étais une sorte d'extraterrestre! J'avais la bonne couleur de cheveux, les yeux bridés, mais une mentalité et une culture qui ne cadraient pas avec celle des gens que j'y croisais. Et puis, là-bas je ne faisais pas exotique! Tandis que lorsque je danse pour vous...*

En réponse à KidKodak, qui pose des questions sur mon parcours personnel: *J'ai eu plusieurs... occupations liées au sexe, comme tu dis. Mais moi, je préfère croire que j'ai pris différents moyens pour faire plaisir à des personnes en manque d'affection. Je ne sais toujours pas ce que je veux faire... après. Je me cherche, comme on dit! En tout cas, pas question de continuer à danser après la trentaine! Je lis certains de vos blogues consacrés aux clubs*

12 Nickname: diminutif, surnom, pseudonyme.

13 Films de série B, élevés au rang de culte par les amateurs du genre.

de danseuses et vous n'êtes vraiment pas tendres envers les
«vieilles»!

En réponse à Tatoo69 qui veut venir chez moi!: *Je ne te
donnerai pas mon adresse, petit coquin! Ni celui du club, mon
blogue n'est pas un site de pub! Sache que j'ai habité la banlieue,
puis un quartier populaire de l'est de la ville; ensuite, un vieil
appartement dans l'ouest et maintenant, je suis super heureuse
dans le loft que j'ai réussi à me payer avec VOTRE argent! J'ai une
vue splendide sur le fleuve et je ne reçois personne. Ou presque.*

Suzie-Kim regarda fixement le curseur qui clignotait.

Presque.

Ce *presque* englobait quelques rares amis proches et ce
Voyageur, qui était venu un jour frapper à sa porte par erreur. Il
tenait à la main une page arrachée d'un carnet de notes, toute
fripée, où avait été griffonné un numéro de porte.

— Je me souvenais que c'était dans le coin, mais depuis, ils
ont construit deux autres tours d'habitation semblables! avait-il
dit en s'excusant.

Elle l'avait regardé partir à regret, l'ayant trouvé instantanément attirant. Puis, elle avait éclaté de rire lorsqu'il était
revenu, penaud. Son ami était absent, lui-même descendait de
l'avion et se sentait lessivé. Il aurait simplement appelé un taxi
pour aller à l'hôtel, mais Suzie-Kim, mue par un élan inexpli-
cable, lui avait proposé sa douche et son divan-lit. Il avait
envahi les lieux pendant deux jours avant de repartir... Qu'est-
ce qu'ils avaient parlé! Simplement, comme deux vieilles
connaissances, la détente amenant la tendresse, la tendresse
amenant l'intimité...

Malgré l'heure tardive, Suzie-Kim se replongea dans la lecture des commentaires sur son blogue pour éloigner d'elle les
sentiments complexes qui la ravageaient.

*   *   *

Présent : vendredi
14 h

Le lendemain de cette curieuse et instructive soirée au restaurant japonais, Suzie-Kim paressait au lit. Elle se leva chiffonnée, mais assaillie de délicieux souvenirs. Ah! ce Manee! Quel talent naturel!

La jeune femme réalisa soudain qu'elle avait encore presque toute une journée de congé devant elle! *La journée et la soirée!*

Une bouffée d'allégresse la fit bondir du lit. Son mouvement fut interrompu par une sonnerie. Son cellulaire ramenait à ses oreilles la détresse de sa mère. Après l'avoir rassurée comme d'habitude, elle se surprit à combattre un fugitif ressentiment envers son père. S'il n'était pas décédé si brutalement, sa mère aurait encore toute sa tête. Ce grand amour, si violemment interrompu, ce choc trop dur pour cette femme. Ce jour-là, Suzie-Kim avait perdu ses deux parents à la fois.

La jeune Asiatique n'y tint plus et chercha un vieux paquet de cigarettes, caché au fond d'un tiroir. Elle s'en alluma une en grimaçant. Elle surmonta un haut-le-cœur alors qu'en filigrane, la voix de sa mère se faufilait : «Une femme sur vingt meurt du cancer du poumon au Canada! Ça pourrait être toi!»

Après quelques bouffées, la jeune femme sentit la nausée l'envahir et renonça à s'autoflageller ainsi.

Suzie-Kim tenta de retrouver son état d'euphorie initial et un détail la chicota. N'était-elle pas heureuse au Lingot d'or? Pourquoi cette joie si intense à l'idée de déserter ainsi?

La danseuse réprima un frisson désagréable et hésita entre la tentation d'aller se recoucher ou de feuilleter le tout dernier *National Geographic*. La photo de la page couverture, représentant des femmes pygmées souriantes et naturelles, l'avait spécialement interpellée. Leurs visages étaient maquillés de couleurs vives et la Chinoise, en achetant la revue, espérait pouvoir lire quelque chose sur la composition de ces ornements magnifiques.

Affalée sur son sofa de cuir ivoire, entortillée dans sa couverture marine, elle commença l'article qui leur était consacré et apprécia instantanément le style de l'auteur, direct, informatif, chaleureux. Ses yeux remontèrent pour découvrir le signataire et son cœur bondit. Le Voyageur! Elle ignorait qu'il vendait des articles à des magazines aussi prestigieux! Elle reprit sa lecture à partir du premier mot, mais cette fois, elle entendit la voix de son Explorateur lui raconter ce qu'il avait vu.

La jeune femme l'imagina clairement étendu sur ce sofa, dans sa position préférée, la tête sur ses cuisses nues. Il la taquinerait d'ailleurs à ce sujet:

— Je ne me plaindrai pas lorsque tu auras quelques kilos de plus, tu seras encore plus confortable!

Elle le voyait tenir d'une main le magazine, et de l'autre, lui caresser le mollet. Elle entendait sa voix chaleureuse, soudain inquiète.

— Ça va? Je ne suis pas trop lourd?

Suzie-Kim eut un peu de difficulté à se concentrer sur sa lecture. Si l'Aventurier était là, elle aurait une main sur ses cheveux bruns et bouclés, lui caresserait l'oreille, la nuque, la joue piquante d'une barbe de quelques jours... et son autre main serait posée sur son ventre ferme. De la paume, elle ferait des cercles excentriques, qui effleureraient ses flancs, son thorax, ses côtes, ses pectoraux nerveux et ensuite, elle s'amuserait à pianoter sur sa peau, tout juste au-dessus du pubis. Elle l'enjoindrait de continuer sa lecture, pendant qu'elle fourragerait avec ses ongles dans la toison foncée et l'encouragerait de plus belle, comme pour un défi pervers, pendant que le pénis large et trapu s'ébrouerait dans sa forêt pour tendre la tête vers elle. Elle le laisserait se déplier tout doucement, sans le toucher, se contentant de caresser la naissance de ses cuisses, le bord de ses fesses...

La voix du Voyageur commencerait à s'altérer, les mots buteraient les uns sur les autres, il laisserait tomber une jambe du sofa, message limpide quêtant un toucher direct.

Suzie-Kim pencherait un peu le torse vers lui, et s'amuserait de voir ses yeux passer du papier glacé à la pointe insolente de ses seins qui valseraient au-dessus de lui. Elle provoquerait un hoquet en saisissant en douceur ses deux testicules doux, comme des boules de ouate et irait même jusqu'à s'étirer un peu plus le bras pour pouvoir exercer une légère pression sur son périnée. Il ne pourrait réprimer les sursauts de sa verge impatiente, basculerait le bassin en soulevant ses fesses, et lui reprocherait, dans un chuchotement, d'être impitoyable. Il proposerait assurément de remettre la lecture à plus tard.

— Pourquoi? répondrait-elle. Laisse-moi apprécier ta langue écrite... et plus tard, tu pourras me faire apprécier un autre langage!

Elle écarterait un petit peu les cuisses et instinctivement, il tournerait la tête vers son sexe. Le magazine volerait dans la pièce et il... ils...

Suzie-Kim termina l'article le cœur battant et s'en voulut de se sentir comme une midinette, le cœur battant au creux de sa vulve.

Elle pensa appeler une de ses copines, mais elle ne se sentait pas de bonne compagnie. Elle ne savait pas si elle voulait ou non entendre les derniers potins. Elle voulait se changer les idées. Elle voulait... Elle ne voulait pas... Ne pas être seule, mais n'avoir rien de personnel à raconter, juste s'étourdir au contact d'une marée humaine dépourvue de personnalité. Cela lui arrivait de plus en plus souvent, de ne pas savoir ce qu'elle voulait. Et le rêve du serpent l'assaillait, la nuit, ce filin qui la traversait en rêve…

Pour chasser ce trouble envahissant, elle décida de sortir. Il se faisait tard ou tôt pour les noctambules, bref, elle dut manger un morceau avant de mettre le nez dehors, sinon elle allait tomber par terre.

Après un repas léger, la jeune femme examina le contenu de sa penderie et opta pour une jolie robe turquoise, qui mettait immanquablement en valeur ses longs cheveux noirs. Elle réalisa soudainement qu'il y avait longtemps qu'elle ne s'était occupée d'elle-même, qu'elle n'avait pris le temps de se faire belle, de porter un vêtement qui n'était pas conçu pour tomber de lui-même au bout d'une chanson de trois minutes !

Elle se doucha longuement, et enduisit d'un geste caressant son corps humide d'une crème ultra-légère non parfumée. Ses cheveux étaient invariablement trop longs à faire sécher ; elle pesta en maîtrisant la hâte qui la ferait agiter le séchoir dans tous les sens et infliger des faux plis à cette chevelure naturellement lisse.

Suzie-Kim repensa à son désir maintes fois reporté de faire tailler ses cheveux comme ceux de Mila Jovovich, telle qu'ils étaient dans la pub du parfum de Dior, *Hypnotic Poison*.

L'Asiatique pencha lentement la tête et laissa retomber son menton sur sa poitrine, en regardant les brins noirs encadrer son champ de vision. Comme elle aurait voulu rester prostrée dans cette jungle souple et figer le temps !

Prenant une grande inspiration résolue, la belle ramassa la masse de ses cheveux d'une main, les rejeta vers l'arrière et les brossa vigoureusement. Ils coulèrent sur ses épaules comme une fontaine, brillants et doux comme de la soie. Ensuite, d'une main assurée, elle souligna d'un trait de khôl l'amande de ses yeux, les sertit de mascara et fit briller sa bouche d'un *gloss* rosé. La robe moula ses formes agréables et lui dessina une silhouette parfaite. Suzie-Kim enfila de fines sandales de cuir turquoise et glissa quelques incontournables dans une pochette de satin assortie, garnie de jolies perles d'eau douce ivoire, dont elle aime tant les sautillements, rythmés par son pas. Enfin, elle se regarda sans complaisance dans la porte miroir de sa garde-robe.

Des bijoux? Non, sa tenue reflétait la simplicité et l'élégance, deux notions difficiles à juxtaposer sans faille.

Ses yeux effleurèrent amoureusement les multiples flacons colorés qui se disputaient l'espace sur les tablettes de sa penderie spécialement aménagée pour ses lubies de fille. Un endroit frais et sec, voilà qui garde ses trésors à l'abri de la dégradation accélérée. Elle saisit une jolie boîte jaune : *Poême*, de Lancôme. Il en restait très peu au fond de la bouteille et songea qu'il faudrait bien vite lui trouver une place dans la vitrine. Une goutte par poignet suffirait. Elle enfila un élégant manteau de couleur ivoire et retourna s'admirer dans la glace.

La mine engageante du chauffeur de taxi la conforta dans son choix. Lorsqu'il lui demanda sa destination, elle cita spontanément le bar New York, à peine étonnée que ce nom s'impose encore à elle si facilement. Le chauffeur sourcilla à peine. Sa cliente fixa la fenêtre, indiquant clairement qu'elle ne désirait pas entamer une conversation.

*   *   *

Le bar New York. Haut lieu de la drague bon chic bon genre, réputé pour la beauté de ses clientes et la fortune de ses clients ; c'est l'endroit où il faut se trouver lorsqu'on fait partie du *grand monde*. Situé sur le toit de l'Hôtel empire, cet établissement accumulait depuis cinq ans les récompenses les plus diverses, célébrant tantôt sa cave à vins et sa cuisine, tantôt son architecture et sa décoration sans faille. Son nom évoquant la grosse pomme attirait tous les hommes d'affaires en transit, et les plus futés ne manquaient pas d'y réserver une chambre, dans l'obscur désir de vérifier si les Québécoises étaient aussi chaudes qu'on le disait!

Suzie-Kim y avait sévi quelques mois, avec grand succès d'ailleurs. À l'époque, elle était en transit entre deux appartements, entre deux métiers. Elle avait connu le lieu en honorant un contrat pour Mains de fée, une soirée mémorable avec des hommes d'affaires... C'est aussi à cette période qu'elle avait adopté le chignon, qui lui donnait quelques années supplémentaires. Cette clientèle appréciait la classe et n'était pas dupe. Tous les grands hôtels de ce monde étaient écumés par de magnifiques *call-girls*. Suzie-Kim avait vite compris que pour être escorte, il n'était pas bon d'être vue trop longtemps au même endroit, car les clients finissaient par vous reconnaître et préféraient toujours un nouveau visage. De toute façon, la Chinoise était convaincue que son avenir se déroulerait sur une scène et d'elle-même, elle avait cessé progressivement de fréquenter ce bar.

En se dirigeant vers l'entrée bien gardée, elle aperçut Big, le portier. Elle se sentit tout de suite en terrain connu et cela lui donna le zeste de courage dont elle avait besoin. Celui-ci roula des yeux ronds.

— Ouf! Quel pétard! Je ne t'aurais pas reconnue! Tu viens prendre un verre ou tu te remets en selle?

Suzie-Kim remonta le col de son manteau et roula les épaules d'un air coquin. Elle s'engouffra dans la semi-obscurité soigneusement planifiée par les architectes du bar. Contrairement à plusieurs endroits tonitruants à la mode, où l'éclairage est blafard et bleuté, au New York, on avait fait le pari de la couleur chaude, on avait dispersé de véritables candélabres un peu partout. Leur discret scintillement enjolivait les peaux, les enrobait d'un voile satiné; les yeux brillaient davantage et l'atmosphère respirait la détente et la sensualité. Les voilages dorés qui partaient du plafond et frôlaient le sol laissaient transparaître les reflets sombres du fleuve. La musique était veloutée et ne nuisait pas aux conversations. De la terrasse ronde, nul autre édifice ne bloquait l'horizon et le quidam avait l'impression d'être sur le toit du monde. Ce sentiment de puissance ravissait plusieurs des professionnels qui, dans leur quotidien, en arrachaient avec des supérieurs vindicatifs et des clients exigeants.

Suzie-Kim passa au vestiaire et s'approcha du bar où elle fit un tour sur elle-même, lentement. Assaillie par un flot de souvenirs, elle eut l'impression que des centaines de mains se posaient sur elle, comme si toutes les bouches qui l'avaient goûtée se collaient à elle, toutes les peaux qu'elle avait effleurées se frottaient contre son corps... Elle ferma les paupières, étourdie.

Avait-elle glissé? Elle ouvrit les yeux brusquement, une poigne ferme la maintenait debout, emprisonnant ses épaules et la dirigeant, telle une poupée mécanique, vers un tabouret.

— Ça va? Vous voulez aller prendre l'air?

Bouche bée, elle se contenta de hocher la tête négativement. L'homme fit signe au barman qui déposa sur le comptoir un verre d'eau glacée, en s'étirant le cou pour tenter de voir le visage de cette inconnue. Suzie-Kim prit une gorgée avec un sourire timide. Il était beau, grand, très bien habillé et très typé. Elle apprit sans surprise qu'il s'appelait Mohammed. Elle réprima un sourire. Elle en avait connu des John Smith, des John Doe... et des Stéphane Tremblay, du Lac, bien sûr.

— Je suis musulman, mais ce n'est pas une excuse pour vous enfuir à toutes jambes!

Suzie-Kim sourit franchement.

Pour respecter la loi non écrite de la civilité, c'était maintenant son tour de se présenter. Elle hésita et pour cause : des carillons entiers résonnaient dans sa tête, son cœur battait un peu trop vite à son goût. Décidément, elle ne se savait pas autant en manque d'amour! Ou d'attention? Pour un peu, elle aurait ressenti le désir de rester en sa compagnie et de se laisser gâter un peu! Sachant qu'il était malséant de le fixer ainsi sans répondre, elle s'intima de se ressaisir.

Une lueur intriguée fit briller soudainement les yeux noirs du Marocain.

— J'ai quelque chose?... fit-il en pointant de l'index ses dents immaculées.

Suzie-Kim secoua la tête négativement. Vite, avant que le barman ne la reconnaisse...

— Je... j'attendais une amie, mais je devrais peut-être lui téléphoner, elle est peut-être retardée...

Aussitôt surgit devant ses yeux un téléphone cellulaire. L'homme insistait.

— Allez, mais oui, allez! Ce n'est rien.

Les yeux de Suzie-Kim glissèrent de l'appareil à la main longue et fine qui lui tendait le tout dernier modèle de portable. Son subconscient nota au passage les ongles impeccables et l'absence de bague ou de trace d'alliance, puis s'arrêta sur le bracelet de cuir de la montre allemande, sobre et virile.

Dans le mouvement, un trait de fragrance frappa les narines de la jeune femme. Mandarine, bergamote... cardamome, vétiver, et... quoi d'autre? Elle ferma les yeux et plongea profondément en elle. Myrte de Corse et menthe! *Essenza Di Zegna!* La Classe avec un grand *C*! La jeune femme afficha un sourire triomphant que Mohammed interpréta comme de la reconnaissance.

Suzie-Kim eut la vision de ce monolithe en forme d'ellipse, de verre et de métal brossé grèges, figurant comme un trophée au premier rang de sa collection ! Comment mettre la main sur cette merveille ?

Elle sentit ses réflexes s'aiguiser, comme autrefois. Mohammed était beau, visiblement riche et très raffiné de surcroît. Ne lui manquait que le cheval blanc !

Suzie-Kim convint qu'il était rusé. Elle connaissait le coup du cellulaire ; rien de plus utile que la recomposition automatique si on veut retracer plus tard la demoiselle qui s'en est servi !

Elle appela un numéro au hasard et débita quelques phrases au caissier d'une station-service complètement abasourdi. D'un air déçu, elle confirma ensuite à Mohammed qu'effectivement, son amie était retenue. Elle ramassa son sac pour amorcer une retraite.

Le barman était revenu vers eux : il l'avait reconnue. Professionnel, il était bien conscient que montrer sa joie de retrouver Miss Orient pourrait paraître suspect aux yeux de ce client qui lui tournait autour. Peut-être n'avait-elle pas encore joué toutes ses cartes ? Avait-elle changé de *modus operandi* ? La nouvelle attitude de l'escorte l'intriguait un peu et l'incita à la prudence. Jamais encore n'avait-elle simulé l'évanouissement pour accrocher un homme ! Il s'immobilisa derrière eux en se demandant à quel moment la ravissante Chinoise lèverait le petit doigt pour que s'accomplisse le petit rituel qu'ils avaient mis au point ensemble.

Mohammed se sentait attiré par cette superbe femme qui le déconcertait un peu, et ne voulut en aucun cas l'effaroucher par les questions qui lui brûlaient les lèvres. Pourquoi ce bar ? Est-ce que les deux copines venaient souvent ici ? Quelle était son occupation ? Il avait remarqué qu'elle avait réussi à ne pas se nommer. Pour le moment, il ne désirait que prolonger cet instant. Il posa doucement la main sur le poignet de Suzie-Kim, la belle lui promit de revenir. Perplexe, l'homme s'inclina à demi et commanda un scotch pour se donner bonne contenance.

Suzie-Kim se réfugia dans les toilettes et croisa le regard d'une grande blonde, impeccablement maquillée et manucurée, dont le tailleur noir porté à même la peau révélait le sillon profond d'une imposante poitrine. La demoiselle perçut immédiatement le coup d'œil et avec fierté, plaça ses mains en coupe sous ses seins et les malaxa légèrement comme pour les replacer dans un soutien-gorge imaginaire. Ils ne bronchèrent pas lorsqu'elle les abandonna et sautillèrent à peine lorsqu'elle s'éloigna à grands pas. « Trop évident ! constata la jeune femme. Est-ce que j'ai jamais eu l'air d'une professionnelle, moi ? Et ce Mohammed, qu'est-ce que j'en fais ? »

Elle fit mine de retoucher son maquillage, lorsqu'une autre femme entra dans la pièce. La jeune trentaine, certainement secrétaire, ou adjointe administrative, les cheveux blond platine, aplatis au fer, la peau grêle et pâle, des yeux magnifiques, mais étouffés sous les couches d'ombre à paupières bleu métallique. La mode était au brillant, certes, mais seule une jeune fille de seize ans pouvait porter ces couleurs impunément ! Son tailleur marine, porté sur un bustier de satin blanc, camouflait à peine ses hanches un peu rondes. Ses souliers plats sonnaient le glas du *sex-appeal* que cette femme aurait pu dégager si elle avait vraiment cru en son potentiel et avait décidé de l'exploiter.

Suzie-Kim l'observa à la dérobée. Tout, en cette fille, clamait sa solitude. Sa manière méticuleuse de se laver les mains, de se regarder de près, puis de loin dans le miroir, en rectifiant inutilement une mèche de cheveux, sa façon de relever les gencives en grimaçant, tournant la tête de gauche à droite, afin de vérifier la blancheur de ses dents, sa façon de rajouter hâtivement une autre couche de rouge à lèvres trop orangé pour son teint...

Un long frisson parcourut Suzie-Kim qui, du coup, oublia tout du motif de sa venue au bar, de la morosité qui l'habitait dans l'après-midi! Quelque chose se réveilla au fond d'elle-même, un refus viscéral, une peur intense de ressembler un jour à une mademoiselle Tout-le-Monde... et soudain, sans l'avoir vraiment réalisé, elle se redressa, le menton bien droit, le regard aiguisé. Elle empoigna ses seins menus et il lui sembla qu'ils avaient doublé de grosseur. Sa voisine lui jeta un regard vaguement offusqué et se précipita hors de la pièce.

Suzie-Kim prit une grande inspiration, fit glisser lentement ses mains sur elle, en lissant sa robe. Lorsqu'elle releva les yeux vers son double, Miss Orient lui fit le plus radieux des sourires.

Mohammed fixa l'Asiatique, ébloui.

— Vous êtes... enfin, je ne sais pas comment dire, on dirait que je parlais tout à l'heure à votre sœur jumelle! Vous êtes... la plus belle, si j'ose dire!

Elle darda ses yeux sur lui.

— Et la plus chère.

Ce message distinctement articulé désintégra l'illusion qui subsistait dans les yeux du Marocain. Miss Orient ne lui laissa plus le loisir de réfléchir. Elle leva discrètement le petit doigt et aussitôt, apparut sur le comptoir un petit plat de litchis, dont la peau avait préalablement été fendue par le barman. Avec les doigts, Miss Orient saisit une des petites boules rougeâtres.

— Vous aimez les litchis? demanda-t-elle.

Sans attendre la réplique, la Chinoise fit glisser doucement ses pouces de chaque côté de la coupure, et pointa un petit bout de langue rose qu'elle inséra délicatement dans la fente. Captivé par son manège, Mohammed passa, en quelques secondes, de simple dragueur à client conquis. Ses yeux suivirent cette langue qui montait et qui descendait dans l'ouverture du fruit, la peau que Miss Orient écartait peu à peu, puis la boule immaculée et luisante qu'elle frôlait de ses lèvres roses... L'homme, la braguette douloureuse, ne tenait plus en place.

— Ton prix sera le mien, réussit-il à articuler.

Comme un automate, il sortit de sa poche de veste une plaquette dorée. Miss Orient se réjouit. Ils seraient vite à sa chambre, Mohammed n'atteindrait que plus vite le paradis d'Allah, et finalement, elle pourrait s'acheter un nouveau kimono pour son prochain spectacle.

* * *

Présent : vendredi
2 h 10

D'un pas las, Miss Orient avait franchi le seuil de son loft. Il lui semblait que ses lèvres luisaient encore de sperme. Mohammed n'avait pas fait preuve d'une grande originalité en se plaçant droit devant elle, la braguette ouverte ! Elle n'avait eu qu'à cueillir son petit oiseau au creux de sa main, et immédiatement, l'homme s'était mis à gémir ! La belle avait prestement enfoui le mignon pénis circoncis dans sa bouche en déplorant qu'un si bel homme soit affligé d'éjaculation prématurée ! Et les billets neufs qu'il lui avait tendus avec un air embarrassé sortaient d'un large portefeuille gravé du nom d'Hamid Rouicha...

Miss Orient jugea que cette visite au New York appartenait au passé, et que marcher à nouveau dans ses propres traces la laissait plus amère qu'autre chose. Après une bonne douche pour se débarrasser de son personnage, Suzie-Kim se prépara un petit plateau de fromages et s'approcha de son ordinateur pour ajouter quelques lignes à son blogue. Une petite enveloppe brillait au coin de l'écran! Le Voyageur répondait à sa demande de reporter leur rencontre... Qu'avait-elle de si important à faire pour qu'il ne puisse se reposer dans ses bras? Il y avait, dans son message, un sous-texte l'implorant de pencher en sa faveur.

Pour la première fois, Suzie-Kim ressentit une sorte d'agacement. Si tout pouvait se régler rapidement pour sa mère! Et si son métier n'était pas si exigeant, aussi...

Ce soir-là, la jeune femme rêva encore du serpent.

* * *

Présent: samedi
13 h 27

Le téléphone blanc sonna à plusieurs reprises et le répondeur était sur le point de se mettre en marche lorsque Suzie-Kim, émergeant d'un sommeil troublé, consentit à répondre.

— Salut, beauté! *It's Sunday! And... Tonight is the night!* Je fais ma triomphale rentrée montréalaise! Désolé de ne pas t'avoir averti avant, j'ai eu une semaine de fou! Je tenais tellement à me remettre au travail le plus vite possible! J'ai rencontré quelques copains Chez Dodo, et ce soir, je fais deux performances!

— Francis? Il est quelle heure, donc?

Le jeune *drag* la conviait au retour de Sandra dans le *night-life*.

— Mieux que ça! Je t'invite spécialement en coulisses avec moi, pour que tu puisses voir mes dessous — ha! ha! — les dessous de ma préparation. Tu m'as déjà dit que ça t'intriguait, alors c'est à soir que ça se passe! Profites-en pendant que je ne suis pas encore une grosse *star* inaccessible! Je vais te faire passer pour une journaliste. C'est excitant, non?

Le hic, c'est que le gérant du Super club XXX allait être furieux si elle n'allait pas danser ce soir! Elle s'était absentée le jeudi et le vendredi, et mercredi soir, ça avait été l'enfer parce que Kimberley s'était foulé la cheville en début de soirée... oh là là!

La jeune femme réfléchit rapidement. Il y avait bien sa copine, cette dominatrice qui lui en devait une...[14]

Elle composa le numéro de téléphone de Bianca. Zut! Pas de réponse. Tiens, la belle Sabina qui lui avait refilé son numéro, peut-être? Bingo! Celle-ci se trouvait entre deux tournages de films pornos et accepta de la dépanner pour ce soir. Cela lui rappellerait des souvenirs du club Le buisson ardent.

— Quoi? Tu as déjà travaillé là-bas? Ça n'avait pas bonne réputation, non?

L'Italienne éclata de rire.

— *Si!* Tu as raison, la place était contrôlée par les motards et c'est pour ça qu'elle a fini par brûler! Et c'est pas là que je serais devenue riche parce que la plupart du temps, je payais ma poudre en dansant. Les gars n'étaient pas tous *fairplay* non plus. Mais on n'avait pas juste des *morons* comme client, heureusement! Et on avait toujours quelqu'un pour nous défendre... Mais bon! C'était quand même une belle période. Les filles étaient toutes des *chums* ou presque... C'est dommage, j'ai perdu la trace de Lucie, une super belle femme, elle était comme ma marraine! Elle ne se maquillait même pas, elle avait de super longs cheveux et on aurait dit qu'elle hypnotisait les clients, juste de la façon dont elle les secouait! Elle était très sensuelle. En plus, elle finissait à 3 h du matin, puis à sept heures et demie, elle mettait ses petits dehors pour l'école et elle se recouchait après! Crois-moi, crois-moi pas, elle était

---

14 Voir *L'agenda de Bianca*, du même auteur.

arrivée enceinte de son troisième et elle a dansé jusqu'à son septième mois ! Je me demande bien ce qu'elle est devenue après l'incendie... Bon, fini la nostalgie, rappelle-moi pour confirmer pour ce soir ! *Ciao, bella !*

Étourdie par le babillage de Sabina, Suzie-Kim s'empressa d'appeler au club. Sa voix se fit geignarde, elle affirma être victime d'un genre d'intoxication alimentaire... Le gérant maugréa et fit clairement savoir à sa danseuse qu'il n'appréciait guère ces désistements de dernière minute. Celle-ci attisa sa curiosité en lui confiant qu'elle avait déjà pris sur elle de trouver une remplaçante expérimentée : Sabina Giorgini, l'ardente Sicilienne, vedette de films porno.

Suzie-Kim apprit plus tard que l'Italienne avait fait une des performances les plus chaudes de l'histoire du club, notamment sur le tout nouveau lit encastré dans le mur ainsi que sur le bar, offrant une démonstration convaincante du potentiel érotique d'une bouteille de bière *long neck*...

*   *   *

21 h

L'entrée du chic cabaret Chez Dodo était déjà noire de monde, même si le spectacle ne commençait que deux heures plus tard. Avec assurance, Suzie-Kim s'identifia au portier, en affirmant être attendue par Sandra. Elle se faufila vers le sous-sol et poussa avec une certaine fierté la porte, sur laquelle on pouvait lire : *Personnel seulement.*

Tout le monde passait par ces loges exiguës, en toute convivialité : les barmen, qui venaient s'approvisionner pour préparer leur comptoir, la guichetière qui récupérait sa caisse...

Francis, arrivé en tout premier, l'accueillit à bras ouverts, avec un petit sourire en coin. Il lui désigna un tabouret jouxtant une table à maquillage et lui remit un carnet noir ainsi qu'un crayon.

— Viens là, comme ça, tu verras tout ce que je fais.

Rapidement, les autres garçons arrivèrent. Intrigués, ils bourdonnèrent autour de Suzie-Kim.

— Francis! Tu nous présentes? Qui c'est? C'est ta sœur?

Suzie-Kim sourit. Il était rare qu'elle se sente intimidée! Rusé, Francis attendit que tous soient arrivés pour finalement révéler, avec une fausse humilité :

— Mademoiselle est journaliste. Elle prépare une grande entrevue sur moi!

Les exclamations à la fois de surprise et d'envie fusèrent. Suzie-Kim se cramponna à son carnet et décida de prendre des notes pour se donner bonne contenance.

La musique diffusée dans la salle leur parvenait en sourdine et la rumeur des spectateurs ajoutait un ronron en *background*. Francis expliqua que les *drags* étaient superstitieuses : elles préféraient se maquiller chaque soir au même endroit, cela leur portait bonheur. L'animatrice de la soirée bénéficiait d'une loge à part, les régulières se permettaient de laisser traîner des choses à leur table et les occasionnelles et les débutantes se partageaient les espaces restants.

Francis ébouriffa ses perruques pour les aérer et les suspendit sur des clous au-dessus des miroirs. Il lui fallait ensuite classer ses paires de souliers en ordre d'apparition, sous les costumes correspondants. Un tout jeune homme s'exclama que cette paire de souliers verts serait sublime avec sa robe. Obligeamment, Francis s'informa de sa pointure et demanda à voir le vêtement.

— Je te les prête pour ce soir, je n'aurai qu'à garder mes souliers noirs, ils vont avec tout!

Enchanté, le garçon se tourna vers Suzie-Kim.

— Il est tellement gentil! Vous pouvez le noter!

Un homme rondouillard au teint foncé se fraya rapidement un chemin parmi cette faune exubérante et fonça droit vers Francis, qu'il souleva de terre.

— Comme ça, t'es revenu, mon grand! J'y croyais pas lorsque Dodo m'a dit que tu faisais partie du *show* ce soir! Elle ne t'a pas connu, mais je lui ai tellement parlé de toi!

Francis fit les présentations. Allan animerait la soirée. Suzie-Kim remarqua que l'enthousiasme de ce pilier de la maison attirait sur son ami un nouveau courant de sympathie de la part de ceux qui ne le connaissaient pas. Elle se demanda comment cet homme corpulent pouvait prétendre incarner une femme!

Chacun sortit sa trousse de maquillage. Certains avaient de vraies trousses, d'autres traînaient encore leurs choses dans des petits sacs de plastique. Francis en profita pour sortir également ses CD, puis il étala minutieusement ses bijoux, ses accessoires et... ses seins.

— Je vais aller me raser, ça ne sera pas long, glissa-t-il à Suzie-Kim. Je préfère le faire le plus tard possible, de façon à avoir la peau plus lisse!

En attendant, c'étaient tous les trucs imaginés pour imiter la physionomie féminine qui fascinaient Suzie-Kim. La créativité de ces artistes n'avait aucune limite! Un jeune homme fluet lui tendit aimablement un sein sculpté à même de la mousse à divan – «plus facile pour varier les grosseurs et ça tient mieux que le stock pour professionnel». La jeune femme soupesa la demi-sphère et avait surtout hâte de voir l'effet dans un soutien-gorge!

— Il y en a qui se collent ça sur le torse avec du gros *tape!* Ouch!

Toutes les *drags* semblaient s'être données le mot pour la renseigner et la Chinoise dut se rappeler de prendre des notes!

Untel lui montre l'utilité de la ouate dans un bas de nylon :

— Dans un soutien-gorge, cette ouate prend la forme qu'on veut !

Un autre explique qu'il lui arrive de nouer, à la bretelle du soutien-gorge, la queue d'une *baloune* remplie d'eau !

— En variant la quantité d'eau, ça change la forme et la grosseur et d'habitude, ça donne un beau sein en poire !

Des vocalises et des extraits de chansons paillardes s'échappaient de la loge d'Allan. Francis revint en même temps que le D.J. qui réclamait les CD de tout le monde. Une étape était franchie. Les garçons étaient tous prêts à se maquiller et le babillage s'atténua. Francis expliqua à Suzie-Kim qu'il avait choisi de s'épiler lui-même les sourcils chaque jour, mais ceux qui désiraient rester discrets sur leurs activités les aplatissaient avec un produit appelé Spirit Gum.

Le voisin de table de Francis lui offrit spontanément une démonstration.

— Tu vois ? dit-il. J'ai les sourcils tout collants avec ce produit. Le jour, je suis agent d'assurances et je ne peux pas me permettre d'avoir les sourcils épilés ! Ensuite, je prends de la potée, regarde, c'est comme de la gommette couleur peau.

L'homme en prit un morceau de la grosseur d'un petit doigt et l'écrasa pour ensuite en recouvrir parfaitement ses sourcils épais. Puis, avec un crayon noir, il se dessina d'impeccables sourcils fins.

Tout en travaillant rapidement avec ses doigts, Francis énuméra :

— Fond de teint en bâton — c'est mieux, le liquide paraît un peu trop sur scène —, fond de teint en poudre... — On ne voit plus ma barbe, n'est-ce pas ? — Est-ce que j'ai le visage assez lisse ? — Crayon noir sous les yeux... — Ça définit l'œil et c'est une couleur qui va avec tout.

Francis laissa échapper un «Oumpf! On part!» comme s'il attaquait une étape importante. La concentration des artistes était telle que le tempo de la musique endiablée, à l'étage, envahissait l'espace et Suzie-Kim eut la sensation de se retrouver à l'intérieur d'un gros cœur. Tss-Boum! Tss-Boum! Tss-Boum!

Avec un art consommé, Francis étala une série de poudres brillantes, du rose, du noir, du mauve, du blanc, sur ses paupières, qui, vues de près, ressemblaient de plus en plus à un tableau abstrait.

Suzie-Kim admira avec envie la collection de faux cils qui s'offrait à elle. Une goutte de colle sur le bout de la queue du pinceau et hop! Dernière retouche, *blush* sur les pommettes, autour du visage, près de la naissance des cheveux («Pour les perruques, cela donne des reflets à la peau»), et sur l'arête du nez («Ceux qui ont des gros nez se font une ligne blanche juste dessus et mettent le *blush* sur les côtés, ça affine!»). Dernière retouche aux yeux...

— Est-ce que ça va?

Les *drags* se regardaient, se fiaient plus aux yeux des autres qu'à leur propre miroir. Déjà, ce n'étaient plus de jeunes hommes qui entouraient Suzie-Kim. Ni encore de jeunes femmes!

Son ami s'interrompit et se leva brusquement.

— Bon! Le *strappage!* Viens avec moi!

Ne sachant pas ce qui l'attendait, Suzie-Kim se laissa entraîner par la main vers les toilettes. Les autres avaient deviné et sifflaient de façon éloquente.

Francis referma la porte en haussant les épaules.

— Tant qu'à tout te montrer, regarde bien.

Le garçon se déshabilla rapidement en expliquant que le *strappage*, c'était tout simplement l'art de se coincer le pénis entre les jambes! Éberluée par le naturel avec lequel il se montrait ainsi dans son plus simple appareil, Suzie-Kim enregistra seulement l'impression de vulnérabilité qui se dégageait du corps gracile de Francis.

— Moi, je n'ai pas de problème, une paire de bas de nylon mats et une autre en filets, c'est suffisant. Un bas mat et un satiné, cela lisse les jambes et fait disparaître les défauts, et aussi, il y en a qui portent plusieurs paires de bas superposées, parce qu'ils ne veulent pas se raser. Et le *G-string* tient le tout en place.

Avec amusement, il chuchota :

— Ceux qui en ont une grosse sont parfois obligés de la coller avec du gros ruban !

Suzie-Kim en frissonna. Que dit le dicton, déjà ? Qu'il faut souffrir pour être belle ?

Ainsi attifé, le torse nu, Francis revint en se dandinant exagérément.

— Elle a tout vuuuuu ! clama-t-il à la ronde.

Suzie-Kim rougit jusqu'à la racine des cheveux. Pendant leur absence, les autres *drags* avaient déjà considérablement changé d'allure !

Francis rembourra son soutien-gorge en satin noir et enfila un magnifique justaucorps. Perruque, *spray-net*, brosse, *spray-net*... Enfin, la touche finale : la bouche. Au moment où Francis-Sandra approchait le crayon de ses lèvres, madame Clara, la maîtresse de cérémonie, s'encadra dans la porte, impériale :

— La *show-list* est prête ! Vérifiez bien votre ordre d'entrée et soyez prêtes à votre tour, mesdames ! Bon *show* ! Bon spectacle !

Allan, ce gros garçon, s'était métamorphosé comme un papillon !

Suzie-Kim nota immédiatement un changement d'ambiance. La fébrilité s'installa, l'espace devint surchargé, électrique. Plusieurs *drags* avaient terminé leur substitution ; elles avaient enfilé leurs tenues élégantes et tournaient sur elles-mêmes, virevoltaient devant les miroirs, se consultaient, se comparaient, se refilaient un dernier truc.

Sandra rangea son rouge à lèvre brillant et se leva avec lenteur et grâce. Plus aucune trace de masculinité dans cette personne.

— Tu es magnifique! s'exclama Suzie-Kim.

Les autres *drags* opinèrent. Grâce à son séjour aux États-Unis, Sandra avait acquis un calme et une adresse que plusieurs lui enviaient.

Une voix forte provenant de l'étage supérieur rompit cet instant de grâce. Madame Clara, portant perruque à boudins et robe de Pompadour, déclencha l'hilarité par sa seule apparition. Depuis que la bonne chère et le bonheur conjugal avaient épaissi sa taille, l'ancienne Clara LaBelle s'était muée en *drag clown*, à mi-chemin entre Paillasson et Queen Latifah. Elle avait la gouaille et l'exubérance, la répartie facile et l'énergie pour tenir une salle en haleine toute la soirée. Les applaudissements et les cris fusèrent...

L'attente éprouvante commença pour les artistes. Pipi! Rires exagérés! Le stress était palpable. Énervée, Kitty, à la table voisine, s'écria en retouchant pour la troisième fois son maquillage:

— Arrêtez de me parler, crisse! J'suis dans l'jus!

Tout ce tourbillon pour trois minutes de scène!

Francis en profita pour dévoiler quelques costumes à son amie.

— La plupart sont faits à la main. C'est plus économique! Regarde cette robe! Elle appartient à Kitty.

L'intéressée reprit avec fierté:

— C'était une robe de jersey toute simple, que j'ai trouvée au Village des aubaines! J'ai cousu moi-même les 1748 paillettes qui la recouvrent et regarde l'allure qu'elle a maintenant!

Émerveillée, Suzie-Kim soupesa le tissu miroitant.

— C'est lourd! objecta-t-elle.

— Eh oui, on porte souvent des costumes très pesants, c'est une question d'habitude, répondit Kitty en haussant les épaules.

Enfin, la première *drag* fut appelée sur scène, aux premières mesures d'un succès de Cher. Sandra poussa un énorme soupir, comme pour dire : «Ça y est.» Elle ferma les yeux pour se concentrer et tout à coup, chassa gentiment son amie.

— Va voir en haut, reviens plus tard.

La salle était pleine, les gens étaient joyeux, les verres s'entrechoquaient. Trois autres performances dont celle de Kitty, enthousiasmèrent les spectateurs. Enfin, madame Clara s'exclama : «Directement de Los Angeles, accueillez chaudement… Sandraaaaaaa!»

L'éclairagiste imposa le noir total. La voix de Liza Minelli s'éleva, reconnaissable entre toutes. Un spot de lumière éclaboussa une frêle créature, chapeau melon sur la tête, bas résilles et justaucorps noir, assise à califourchon sur une chaise de bistro.

Sandra mimait à la perfection les moindres intonations, les moindres soupirs de cette chanteuse célèbre.

You have to understand the way I am, Mein Herr.
A tiger is a tiger, not a lamb. Mein Herr.
You'll never turn the vinegar to jam, Mein Herr.
So I do… What I do… When I'm through… Then I'm through…
And I'm through…Toodle-oo[15] *!*

Émue, Suzie-Kim remarqua avec quelle grâce se mouvait celui qu'elle avait connu si timide et réservé! Elle n'en finissait plus d'admirer son maquillage, ses jambes effilées qui tenaient en

---

15 *Mein Herr*, tiré de *Cabaret*.

équilibre sur de mignonnes bottines de cuir noires, ses bras qui décrivaient d'habiles arabesques et dont la canne noire servait de prolongement... et puis ces déhanchements... si sensuels!

Sandra entama avec fougue le dernier couplet, virevolta, tourbillonna, trouva le moyen de repousser la mèche noire qui collait obstinément à ses faux cils. Le public lui fit un triomphe et les acclamations extirpèrent Suzie-Kim de son émerveillement.

La pauvre miss Nicky Love qui lui succédait parut en comparaison fade et maladroite. Une perruque longue et des seins de mousse ne suffirent pas à rendre crédible cette Céline Dion de pacotille, d'autant plus qu'elle ne cessait de tourner comme une toupie et d'agiter ses bras sans grâce aucune.

Apparut ensuite Brittney, admiratrice absolue de RuPaul, engoncée dans un costume léopard. Suzie-Kim en profita pour retourner dans les loges.

Madame Clara, en reine de l'improvisation, prépara le terrain pour Lady Chanel, une débutante qui se montra assez convaincante dans son interprétation de *Take a Chance On Me*, du groupe Abba. Les autres *drags* qui suivaient le spectacle sur un petit téléviseur, se gaussaient de la voir interpréter seule une chanson conçue pour un quatuor, mais la félicitèrent chaudement lorsqu'elle revint, tremblante, dans les loges.

C'était enfin l'entracte. Les *drags* se précipitèrent dans la salle, prirent une bière, fraternisèrent avec les clients. Sandra, professionnelle jusqu'au bout des ongles, tint à changer de costume juste pour cette période. Kitty était impressionnée.

— Ça, c'est une vraie femme! J'espère que tu vas l'écrire aussi!

Suzie-Kim alla siroter un Amaretto Sour, en jouant distraitement du pic avec la rondelle de lime. Ici, elle se sentait bien: il y avait peu de chances qu'un client éméché la reconnaisse et l'interpelle!

Sur la scène transformée en piste de danse se déhanchaient tous les styles de personnes. Un microcosme de la société! Des couples de gars, quelques filles ensemble, quelques travestis plus ou moins réussis, deux exhibitionnistes, torses nus, s'admirant dans le miroir au fond de la salle.

Fin de l'entracte: Pendant que Sandra jonglait entre deux perruques (noire ou rousse?), Kitty lui proposa d'essayer sa nouvelle perruque blonde avec des mèches auburn. Sandra la plaqua sur sa tête, la séparation bien au centre. Elle fit la moue.

— Mets-la sur le côté! lui conseilla sa voisine.

La *drag* décentra la séparation, ce qui lui faisait une longue mèche sur le côté. Elle fit plusieurs tentatives: coller la mèche sur l'oreille, remonter tous les cheveux des deux mains, se tourner de trois quarts pour juger l'effet... Non, finalement, ce serait la rousse.

Les filles se dépêchèrent, les vêtements volèrent, l'air devint saturé de *spray net*. Les femmes fatales devinrent des clowns et la nymphette incarna Grace Jones!

À l'étage, madame Clara provoqua de nouveau les fous rires en s'avançant sur scène à grands pas, vêtue d'une robe gitane noire surchargée de volants rouges, à la limite de la vulgarité. Elle entama avec grandiloquence, bras en croix, un air archiconnu:

L'amour est enfant de Bohême,
il n'a jamais, jamais connu de loi,
si tu ne m'aimes pas, je t'aime,
si je t'aime, prends garde à toi[16]!

L'hilarité fut à son comble lorsqu'elle essaya d'esquisser quelques pas de danse espagnole, de s'inventer des casta-

---

16 *Habanera*, tiré de *Carmen*, opéra de Bizet.

gnettes au bout des doigts et de claquer du talon, le menton relevé. Elle marcha sur sa robe, s'étala de tout son long sur la scène, et sans se démonter, lança un vigoureux «*Prends gaaaaaaaarde à toi!*» qui fit lever l'assistance d'un bond.

Le reste de la soirée se déroula dans la bonne humeur et en finale, Sandra revint sur scène, sublime dans une robe longue noire fendue très haut sur la cuisse. Autant elle s'était donnée avec fougue dans son précédent numéro, autant elle présentait maintenant un modèle de retenue et livrait *Fever* avec une sensualité troublante. Elle ressemblait à un oiseau qui se posait sur la scène. Ses hanches ondulaient subtilement, le tissu glissait parfois sur sa cuisse, dévoilant une impeccable jambe gainée de nylon noir. Tout se jouait dans le regard, à la fois hardi et timide. Le public, subjugué, mit quelques secondes à l'acclamer après la dernière note!

Les applaudissements et les cris de la salle déferlaient encore tandis que résonnaient en bas les rires et les soupirs de soulagement. Enfin, c'était terminé! Les artistes se félicitèrent, se *bitchèrent* pour rire... Certaines avaient bu plus que d'autres, et vacillaient sur leurs talons aiguilles. Madame Clara passa pour remercier tout le monde et fit un beau clin d'œil à Suzie-Kim avant de s'enfermer dans sa loge pour se démaquiller.

La jeune Asiatique, juchée sur son tabouret, réalisa soudain que ce qui se passait devant ses yeux lui rappelait les livres pour enfants, où des languettes permettent de recomposer un personnage fantasque, de donner des pattes d'autruches à un hippopotame, de mettre une crête de coq à un cheval... Elle avait devant elle des visages de femmes parfaitement maquillées, des torses plats, des fesses moulées de nylon, des pieds à l'aise dans des baskets. C'était un univers parfaitement magique!

Sagement, Suzie-Kim prit congé en remerciant d'abord Sandra-Francis, qui brossait ses perruques, puis chacun de ses complices de la soirée. Elle se retrouva dans la nuit fraîche, lasse et enchantée. Alice avait retraversé le miroir.

* * *

Présent : dimanche
5 h

Y avait-il une explication à ce songe troublant ? Pourquoi Suzie-Kim était-elle à la fois si excitée et si abattue au réveil ? Pourquoi ce rêve récurrent ? Son subconscient connaissait tellement bien ce rêve que la jeune femme avait vraiment l'impression qu'il l'avertissait à l'avance lorsqu'il était sur le point de lui repasser la bande encore une fois ! Le plus souvent, cela se produisait juste avant l'aube... peu importe vers quel lieu ses songes l'avaient menée, invariablement, elle percevait un signal, comme un brouillage des ondes oniriques.

Un fil la traversait ; elle « savait » que ce rêve venait, que tout son corps se préparait à l'accueillir.

Un jour, elle était allée dans une bibliothèque et avait cherché des livres traitant des rêves, en évitant soigneusement tous ceux qui prétendaient pouvoir interpréter ces manifestations. Généralement, la plus grande fantaisie et l'approximation s'y étalaient sans vergogne.

Mais un passage dans un livre de psychologie lui révéla qu'en 1913, un psychiatre néerlandais, nommé Frederik Willem van Eeden, avait émis la théorie que certaines personnes pouvaient non seulement se rappeler parfaitement leurs rêves, mais en plus, y intervenir directement ! Par exemple, quelqu'un souhaitant voler comme un oiseau pouvait fort bien se « souvenir » qu'une fois endormi, son corps ne serait plus assujetti à la gravité terrestre et qu'il pourrait se laisser aller sans crainte du haut d'une falaise pour se mettre à voler ! Il avait appelé cela « le rêve lucide ».

Intriguée par ce rêve, incapable de le décortiquer et de l'analyser, Suzie-Kim essaya de forcer son subconscient à y plonger, de façon à ce qu'elle puisse le consigner au réveil, le plus fidèlement possible. Elle relut ses notes, les compara, les annota, épurant les fantaisies qui s'y glissaient parfois pour n'en garder que l'essence.

La Chinoise se voyait vêtue d'une robe que sa grand-mère paternelle lui avait confectionnée pour ses quatre ans.

Note: J'adorais cette robe! Ses petites manches bouffantes, sa taille cintrée par un large ruban du même tissu crème sur lequel étaient imprimés de petits anneaux de couleurs acidulées! «Ma robe en bonbons!»

Suzie-Kim faisait référence au populaire Life Savers dont se gavait son grand-père. Elle se voyait courir en tous sens, dans un environnement pastel, joyeux!

Deuxième étape: la noirceur tombait brusquement et la petite Suzie-Kim, d'instinct, figeait, les bras tendus et le cœur noué par l'angoisse.

Elle voyait approcher une porte de chambre d'hôtel. Elle ne se sentait pas marcher vers elle; la porte flottait jusqu'à ce qu'elle soit à portée de main. Une porte de bois, peinte couleur vanille, affichant deux chiffres en laiton: le un et le deux, 12.

Note: Jusque-là, rien de bien mystérieux, mon père est décédé un 12 septembre.

La porte s'ouvrait avant qu'elle ne puisse en saisir la poignée, une clenche à l'ancienne, comme elle utilisait pour ouvrir la porte arrière chez sa grand-mère.

Cette issue donnait sur un fond marin et la jeune femme foulait le sol doux et spongieux, sans avoir besoin de respirer… comme une sirène.

Note: Ici encore, le lien avec mon père est plausible: les plongeurs l'ont retrouvé en position fœtale, au fond du lac. Quelle idée d'aller à la pêche sans gilet de sauvetage!

Plusieurs murs semblaient bloquer le passage. C'était toujours à ce moment qu'une sorte de filin lui traversait littéralement le corps! Elle ne ressentait pas précisément le fil, mais son subconscient l'avertissait qu'elle ne pouvait s'en échapper. Cela comportait un côté rassurant, comme si, en rebroussant chemin, elle pouvait toujours s'en servir pour éviter de se perdre. Elle avançait lentement en se faufilant dans cette sorte de labyrinthe, puis elle apercevait au loin un intense faisceau lumineux, comme si un rayon de soleil perçait la surface de la mer et n'éclairait qu'à un endroit précis.

Elle contournait les murs avec hâte... et enfin! Elle voyait la lumière tomber sur un grand matelas d'une blancheur aveuglante! Tout autour, la noirceur perdait subitement son aspect effrayant. Suzie-Kim sentait alors monter en elle un sentiment croissant de puissance, de force. À chaque pas, elle grandissait, vieillissait, se transformait en une déesse intense et irrésistible. Sa gorge se dilatait, elle pouvait rugir comme une panthère!

Chaque bonbon de sa robe devenait, comme par magie, autant de petites plumes blanches qu'aucun fil ne retenait ensemble. Son corps se précisait, sa peau semblait se réveiller d'un long sommeil, chacun de ses pores éprouvant l'infime caresse de ce duvet papillonnant. Sous ses orteils, elle percevait encore plus clairement le léger chatouillement du sable fin et les caresses des algues sur ses chevilles. Alors qu'elle s'approchait du lit, elle acquérait la certitude d'être suivie; elle sentait un souffle court, chargé de désir, réchauffer sa nuque.

Note: C'est bizarre, je ne suis pas effrayée!

La jeune femme se voyait ensuite «voler» jusqu'au mur invisible qui tenait lieu de tête de lit. Elle se retournait, les jambes bien serrées et les bras légèrement écartés du corps, pour faire face à l'être qui la convoitait si ardemment. Elle ne distinguait qu'une silhouette, mais le son rauque et sexuel qui en émanait humidifiait sa vulve et faisait gonfler sa poitrine. Une à une, au rythme de sa propre respiration, les plumes se détachaient et volaient autour d'elle. Chaque millimètre de sa peau ainsi exposée se couvrait de petites pointes.

Suzie-Kim ne ressentait pas le froid, et pourtant, plus sa robe de plumes se désagrégeait, plus les frissons s'emparaient d'elle. Des fourmillements chatouillaient ses cuisses, quelques plumes semblaient hésiter à quitter ses mamelons et leurs oscillations la mettaient à la torture. Elle serrait les cuisses et les poings comme pour prolonger le supplice et tout à coup, lorsque la dernière plum / lâchait à son tour, la silhouette s'avançait vers la lumière Et c'est à ce moment que se produisait le phénomène le plus intrigant.

La personne, un homme, une femme? une ombre noire et opaque se penchait vers le lit en tendant les bras vers l'avant et en penchant un peu la tête. Suzie-Kim fixait toujours le haut du crâne de cet être qui se fendait, d'un trait couleur de pierre, s'étirant sur un fond noir, comme si la silhouette se déchirait en deux! Elle percevait toujours ce souffle haletant qui entretenait son envie de plus en plus aiguë, malgré sa perplexité devant le spectacle étrange. Ce souffle tellement plein d'envie pour elle que malgré la singularité des choses, ses jambes s'écartaient doucement, son ventre frémissait d'anticipation, les bouts roses de ses petits mamelons se tendaient dans une attente muette... elle se sentait perdre la raison.

Note: *Comme ma mère après le 12 septembre... ou comme lorsque je vais jouir!*

Comme un mantra, la jeune femme commençait alors à psalmodier en boucle: «Viens en moi! Pénètre-moi! Viens! Viens en moi! Pénètre-moi!»

Et son esprit se moquait alors de voir le contour noir de la silhouette retomber progressivement de chaque côté du corps, comme une pelure de banane. C'était un rêve, elle le savait! Elle ne s'étonnait pas non plus d'en voir surgir un serpent, un magnifique boa constrictor qui se faufilait paresseusement sur la blancheur du lit au fur et à mesure que son enveloppe se desséchait. Il avait des yeux sans expression et des ondulations lentes.

Aucune surprise non plus, du ravissement plutôt, de constater que la dite enveloppe ne touchait pas le sol en retombant, mais se décomposait en milliers de flocons minuscules, comme une première neige qu'un vent léger fait tourbillonner autour du lit.

Note: Gîte?

Le reptile posait alors sa tête sur le pied gauche de Suzie-Kim, toute à son enchantement. Il marquait une pause, puis, très lentement, amorçait une progression perverse, venant s'enrouler autour de la jambe de la jeune femme. L'animal n'étant ni chaud ni froid, les écailles douces la caressaient en spirale. «Viens en moi! Pénètre-moi! Viens! Viens en moi!» murmurait-elle en secouant la tête de gauche à droite, tellement frémissante de désir que des sanglots bloquaient ce psaume étrange.

Lorsque la tête du boa se frayait un chemin entre ses grandes lèvres, Suzie-Kim luttait pour rester debout. Sa formule répétée devenait gémissements, la femme sentait les parois de son vagin se mouiller davantage et se dilater voluptueusement pour accueillir ce corps souple. Son passage provoquait des ondes de choc qui faisaient vibrer toutes ses fibres.

Enfin lové au creux d'elle-même, le boa démontrait son contentement en contractant ses anneaux. Plus il grossissait, plus Suzie-Kim gémissait, haletait et bientôt... laissait échapper de tels cris de jouissance qu'elle s'éveillait le plus souvent complètement en sueur, en travers du lit, avec la sensation que son cœur battait dans sa vulve affamée. Elle se masturbait en vitesse et ses orgasmes étaient violents.

Aujourd'hui, la jeune femme avait senti de nouveau l'arrivée imminente de son rêve. Elle décida consciemment qu'elle avait envie de savoir ce qu'il advenait de ce fameux serpent. Que représentait-il? Appliquant de nouveau la théorie du chercheur van Eeden, elle conditionna son esprit pour que ce rêve se déroule cette fois en accéléré jusqu'à ce point précis de jouissance. Cette fois, au lieu de s'éveiller, elle tint bon, serrant les dents, s'interdisant de céder à l'orgasme. Debout sur le lit, en attente, plus rien ne bougeait. Le serpent semblait s'être fondu en elle.

Suzie-Kim se retourna pour voir au-delà de ce lit magnétique. Le fil quasi transparent la traversait toujours, presque au niveau du cœur, et s'élançait loin devant, dans un espace opaque où elle pouvait distinguer, tout au fond, une scène clignotante, où se déhanchaient plusieurs femmes nues!

Baissant les yeux, elle aperçut, au pied du lit, une valise. Ou plutôt un gros sac de voyage. De très loin lui parvenaient des rires, des acclamations, un appel. «Suzie-Kim! Miss Orient! Viens!» Ces femmes semblaient s'amuser follement, mais il y avait aussi ce sac...

Elle hésita, crut reconnaître des copines, amorça un élan vers elles, se retint, sourit, puis pleura. Elle se demanda si le serpent n'était pas en train de lui manger la conscience; tout s'embrouillait... et brusquement, le sentiment aigu qu'elle avait atteint l'état d'éveil la secoua. Vivement, elle se pencha vers le bagage. Le fil se mit à grésiller, comme parcouru d'un fort voltage électrique et au moment où elle saisit la poignée du sac et qu'elle sauta au bas du lit, le fil disparut!

Suzie-Kim s'éveilla, assise bien droite dans son lit.

D'un bond, elle courut vers son ordinateur où brillait une autre minuscule enveloppe jaune. Le Voyageur lui avait écrit. «Vraiment aucun espoir pour demain? Je n'aurais pas assez d'une vie pour faire le tour de toi, mon Atlantide.»

Sans hésitation, la jeune femme posa ses mains sur le clavier.

«Espoir revenu pour demain, et pour la vie.»